LA NUIT DES PANTINS

LA NUIT DES PANTINS

R.L. STINE

Texte français de Charlie Meunier

Catalogage avant publication de Bibliothèque et Archives Canada

Stine, R. L.
[Night of the living dummy. Français]
La nuit des pantins / R.L. Stine ; texte français de Charlie Meunier.

(Chair de poule)
Traduction de : Night of the living dummy.
Publié en formats imprimé(s) et électronique(s).
ISBN 978-1-4431-5269-3 (couverture souple).—ISBN 978-1-4431-5274-7 (html).—ISBN 978-1-4431-5275-4 (html Apple)

I. Titre. II. Titre: Night of the living dummy. Français. III. Collection: Stine, R. L. Chair de poule.

PZ23.S85Nui 2016 j813'.54 C2015-906053-2

Édition publiée par les Éditions Scholastic,
604, rue King Ouest, Toronto (Ontario) M5V 1E1

5 4 3 2 1 Imprimé au Canada 139 16 17 18 19 20

1

— Mmmmm! Mmmmmm! Mmmmmmm!

Lucie Lafaye se démenait pour attirer l'attention de sa sœur jumelle.

Caro Lafaye leva les yeux de son livre. Au lieu du joli visage de Lucie, elle se trouva face à une bulle rose presque aussi grosse que la tête de sa sœur.

— Pas mal, reconnut Caro sans enthousiasme.

D'un geste brusque, elle fit éclater la bulle en y enfonçant son doigt.

— Eh! cria Lucie, indignée, quand la gomme se colla sur ses joues et son menton.

Caro se mit à rire.

— Bien fait!

En colère, Lucie arracha le livre des mains de sa sœur et le referma d'un coup sec.

— Oh! J'ai perdu ta page! s'exclama-t-elle.

C'était le genre de choses que Caro détestait.

L'œil menaçant, Caro récupéra son livre. Lucie commença à se frotter le menton.

— Je n'avais jamais fait une aussi grosse bulle, dit-elle, mécontente.

— Moi, j'en ai fait des bien plus grosses que ça! rétorqua Caro avec mépris.

— Vous êtes vraiment incroyables, toutes les deux, grommela leur mère en entrant dans la chambre pour déposer une pile de linge bien plié sur le lit de Lucie. Faut-il vraiment que vous soyez toujours en rivalité, même pour les bulles de la gomme à mâcher?

— On n'est pas en rivalité, marmonna Caro.

Elle rejeta en arrière sa queue de cheval et reprit sa lecture.

Les deux filles avaient les cheveux blonds et raides. Ceux de Caro étaient longs, et en général elle les attachait derrière ou sur le côté. Lucie, elle, les portait très court.

C'était le seul moyen de les distinguer l'une de l'autre; en dehors de cela, elles étaient absolument identiques. Elles avaient toutes les deux le front large et les yeux bleus et ronds. Dès qu'elles souriaient, des fossettes se creusaient sur leur visage. Comme elles rougissaient facilement, leurs joues pâles devenaient alors toutes roses.

— Est-ce que j'ai réussi à tout enlever? demanda Lucie en frottant son menton rouge et collant.

— Pas tout, répondit Caro en lui jetant un coup d'œil. Tu en as dans les cheveux.

— Super!

Lucie toucha à ses cheveux, mais n'y trouva rien.

— Je t'ai encore eue! ricana Caro. Ça marche à tous les coups!

Exaspérée, Lucie se tourna vers leur mère qui était en train de ranger des chaussettes dans un tiroir de la commode.

— Maman, quand est-ce que j'aurai ma chambre?

— À la saint-glinglin, répondit Mme Lafaye.

— C'est ce que tu me réponds toujours, gémit Lucie.

Sa mère haussa les épaules.

— Tu sais bien qu'on n'a pas de place en trop, ma chérie.

Elle se tourna vers la fenêtre. Le soleil brillait à travers le rideau transparent.

— Il fait un temps magnifique. Que faites-vous à l'intérieur?

Elle fut interrompue par un aboiement strident qui venait du rez-de-chaussée.

— Qu'est-ce qui lui arrive encore à Bayou? dit-elle sur un ton irrité, car le petit terrier noir passait son temps à aboyer. Si vous le sortiez, ce chien?

— Bof! Ça ne me dit rien, marmonna Caro, le nez dans son livre.

— Et si vous preniez ces superbes vélos que vous avez eus pour votre anniversaire? proposa Mme Lafaye, les mains sur les hanches. Ces vélos dont vous aviez absolument besoin. Vous savez, ceux qui n'ont pas bougé du garage depuis le jour où on vous les a offerts.

— D'accord, d'accord. Pas la peine d'être ironique, maman.

Caro se leva, s'étira et jeta son livre sur le lit.

— Ça te dit? demanda Lucie à Caro.

— Quoi donc?

— D'aller à la place publique à vélo, on y trouverait peut-être quelqu'un de l'école.

— Tout ce qui t'intéresse, c'est de voir si Kevin est là, répondit Caro en faisant une grimace.

— Et alors? se défendit Lucie en rougissant.

— Allez, allez prendre de l'air frais, insista Mme Lafaye. Je vous retrouve tout à l'heure. Je vais faire des courses au supermarché.

Lucie se précipita vers la porte :

— La dernière arrivée est la plus nulle!

Le soleil de l'après-midi brillait haut dans un ciel sans nuage. Bayou jappait frénétiquement sur leurs talons. L'air était sec et immobile. On se serait cru en été plutôt qu'au printemps, ainsi les deux filles étaient vêtues légèrement. Caro se dirigea vers la porte du garage, mais elle s'arrêta pour examiner la maison d'à côté.

— Regarde, les murs sont déjà montés, fit-elle remarquer à sa sœur.

— C'est fou ce que cette nouvelle maison se bâtit vite!

Les ouvriers avaient commencé le chantier pendant l'hiver. En mars, on avait coulé les fondations. Caro et Lucie étaient venues explorer les lieux quand ils étaient déserts, tentant de repérer l'emplacement des différentes pièces.

Et maintenant, les murs étaient construits. La maison se dressait au milieu de poutres empilées, d'un amas de briques, de ciment et d'outils divers.

— Personne n'y travaille aujourd'hui, remarqua Caro. Elles s'approchèrent.

— À ton avis, qui va y emménager? demanda Lucie. Peut-être un sublime garçon de notre âge! Peut-être de sublimes jumeaux!

— Beurk! répondit Caro d'un air dégoûté. Des jumeaux? Ce que tu peux être quétaine! Je ne peux pas croire qu'on soit de la même famille, toi et moi!

Lucie était habituée aux sarcasmes de sa sœur. Être jumelles représentait pour toutes les deux un immense bonheur et un grand malheur. Elles avaient tant de choses en commun – leur aspect physique, leurs vêtements, leur chambre – si bien qu'elles étaient plus proches que le sont en général les sœurs. Mais justement parce qu'elles se ressemblaient tellement, elles ne pouvaient s'empêcher de s'enquiquiner en permanence.

— Il n'y a personne. Allons l'explorer! proposa Caro.

Lucie la suivit de l'autre côté du jardin. Un écureuil, hissé à mi-hauteur d'un gros érable, les observait d'un air inquiet. Elles se frayèrent un chemin à travers les buissons bas qui séparaient les deux terrains. Puis, dépassant les piles de bois et le gros tas de briques cassées, elles grimpèrent sur la dalle de béton. On avait cloué un morceau de plastique épais devant l'ouverture où serait installée la porte d'entrée. Lucie en souleva un coin et les deux filles se glissèrent à l'intérieur. Il y faisait sombre et frais : cela sentait bon le bois coupé. Les murs étaient en place, mais rien n'était encore peint.

— Attention! dit Caro. Regarde par terre!

Du doigt elle désigna de gros clous qui jonchaient le sol.

— Si tu marches dessus, tu attraperas le tétanos et tu mourras.

— Tu serais bien contente!

— Je ne veux pas que tu meures, ricana Caro. Juste que tu attrapes le tétanos.

— Très amusant, dit Lucie d'un ton sarcastique.

Caro prit une inspiration profonde :

— J'adore l'odeur de la sciure! On se croirait dans une pinède.

Elles allèrent explorer la cuisine.

— Tu crois qu'il y a du courant là-dedans? demanda Lucie en montrant une poignée de fils noirs qui pendaient du plafond.

— T'as qu'à en toucher un pour voir, lui proposa Caro.

— Essaie d'abord.

— Caro haussa les épaules. Elle s'apprêtait à suggérer de visiter le premier étage quand, soudain, elle entendit un bruit. Ses yeux s'écarquillèrent de surprise.

— Eh? Il y a quelqu'un?

Lucie s'immobilisa au milieu de la pièce. Les deux filles écoutèrent.

Silence. Puis elles entendirent des pas légers et rapides. Tout près. À l'intérieur de la maison.

— On s'en va! chuchota Caro.

Lucie était déjà en train de plonger sous le plastique qui protégeait l'ouverture béante. Elle sauta du perron et se mit à courir vers leur jardin.

Caro s'arrêta au bas du perron et se retourna vers la maison.

— Eh! Regarde!

D'une des fenêtres latérales s'échappait un écureuil. Il atterrit à quatre pattes sur le tas de briques et cavala vers l'érable dans le jardin des Lafaye.

Caro se mit à rire :

— Ce n'était qu'un simple écureuil.

Lucie s'arrêta près des buissons :

— T'en es sûre?

Elle hésitait, les yeux fixés sur les fenêtres de la nouvelle maison. C'était un écureuil drôlement bruyant. Quand elle détourna son regard, elle constata avec surprise que Caro avait disparu.

— Eh! Où es-tu?

— Je suis là. J'ai repéré quelque chose!

Il fallut un petit moment à Lucie pour trouver sa sœur. Caro était à moitié cachée derrière une grande benne à ordures noire posée tout au fond du jardin. Elle avait l'air de fouiller à l'intérieur.

— Qu'est-ce qu'il y a là-dedans? cria Lucie.

Caro, occupée à remuer des objets, ne parut pas l'entendre.

— Qu'est-ce que tu fais? insista Lucie en s'avançant.

Caro ne répondit pas. Puis, lentement, elle sortit quelque chose de la benne et le leva à bout de bras. Deux bras et deux jambes s'agitèrent mollement. Lucie distingua une tête brune.

Une tête? Des bras et des jambes?

— Oh non! cria Lucie horrifiée en se cachant le visage dans les mains.

Un enfant?

Lucie eut un hoquet de terreur en voyant Caro le sortir de la benne à ordures. Elle aperçut son visage, les traits figés, les yeux écarquillés. De loin, il paraissait vêtu d'une sorte de costume gris. Ses bras et ses jambes pendaient, inertes.

— Caro! appela Lucie, la gorge sèche de terreur. Est-ce que... est-ce qu'il est... *vivant?*

Le cœur battant à tout rompre, elle se précipita vers sa sœur. Caro berçait dans ses bras la malheureuse créature.

— Est-ce qu'il est vivant? répéta Lucie hors d'haleine.

Elle se tut en voyant sa sœur éclater de rire.

— Non, mais il n'est pas mort non plus! répondit celle-ci joyeusement.

Lucie comprit alors que ce n'était pas un enfant et s'écria :

— Ça alors! C'est une poupée!

Caro la leva à bout de bras.

— C'est un pantin de ventriloque. Quelqu'un l'a jeté aux ordures. Incroyable, Lucie! Il est comme neuf.

Elle retourna le mannequin, cherchant dans le dos le mécanisme pour faire bouger les lèvres.

— Je suis un vrai petit garçon! lui fit-elle articuler.

Elle parlait d'une voix haut perchée, les dents serrées, essayant de ne pas remuer les lèvres.

— Espèce de sans-allure! marmonna Lucie en levant les yeux au ciel.

— C'est toi la sans-allure! répliqua Caro par l'intermédiaire du pantin, d'une voix grinçante et aiguë.

Quand elle tirait la ficelle dans son dos, les lèvres de bois s'ouvraient et se fermaient avec un claquement sec. En tâtonnant, elle trouva le bouton pour faire rouler les yeux peints.

— Il doit être bourré de microbes, remarqua Lucie d'un air dégoûté. Jette-le, Caro!

— Pas question, je le garde! répondit celle-ci en caressant tendrement la tête de bois.

— Elle me garde, fit-elle dire au pantin.

Lucie examina d'un œil soupçonneux le pantin. Il avait les cheveux peints. Ses yeux bleus ne pouvaient se déplacer que latéralement et ne clignaient pas. Ses lèvres étaient rouge vif et il avait un sourire mystérieux. La lèvre inférieure avait été ébréchée, elle ne correspondait plus parfaitement à la lèvre supérieure.

La poupée était vêtue d'un costume croisé gris et d'un col de chemise blanc. Le col n'était pas attaché à une chemise, mais au corps même, peint en blanc.

De grosses chaussures de cuir brun étaient fixées au bout des jambes maigres et désarticulées.

— Je m'appelle Clac-Clac, dit le mannequin en ouvrant sa grande bouche.

— Sans-allure! répéta Lucie en secouant la tête. Pourquoi Clac-Clac?

— Viens ici que je te donne une bonne claque! dit Caro en essayant de ne pas bouger les lèvres.

Lucie grommela :

— Bon alors, on va faire du vélo ou pas?

— Tu as peur de manquer à ton petit Kevin? fit Caro avec la voix de Clac-Clac.

— Pose ce truc immonde!

Lucie commençait à s'impatienter.

— Je ne suis pas immonde, se défendit Clac-Clac de sa voix aiguë en roulant les yeux. C'est toi qui es immonde!

— On voit tes lèvres bouger. Tu es nulle comme ventriloque, ma pauvre Caro!

— Je vais m'améliorer.

— Tu as vraiment l'intention de le garder?

— Oui! J'aime bien Clac-Clac. Je le trouve mignon, décida Caro en serrant doucement la poupée contre elle.

— Je suis *très* mignon, lui fit-elle dire. Et c'est ta sœur qui est moche.

— Ferme-la! lança Lucie.

— Ferme-la toi-même! répondit Clac-Clac avec la voix haut perchée de Caro.

— Pourquoi veux-tu garder un truc pareil? demanda Lucie en suivant sa sœur dans la rue.

— J'ai toujours aimé les marionnettes. Tu te souviens de celles que j'avais avant? Je m'amusais pendant des heures. Je leur faisais jouer de vraies pièces de théâtre.

— Moi aussi, j'ai toujours aimé les marionnettes, lui rappela Lucie.

— Toi, tu n'arrêtais pas d'emmêler les ficelles, se moqua Caro. Tu n'étais pas douée.

— Mais qu'est-ce que tu vas *faire* avec ce pantin?

— Je n'en sais rien. Peut-être que je vais monter des sketches, répondit pensivement sa sœur. Je parie que je pourrais gagner de l'argent. Animer les fêtes d'anniversaire d'enfants. Faire des spectacles. Bon anniversaire! fit-elle dire à Clac-Clac. Faites passer le chapeau!

Cela ne fit pas rire Lucie.

Les deux filles longèrent la rue, passant devant chez elles.

Caro serrait toujours Clac-Clac dans ses bras.

— Il a quelque chose de terrifiant, ronchonna Lucie en donnant un bon coup de pied dans un gros caillou. Tu devrais le remettre dans la benne.

— Pas question, dit Caro.

— Pas question, fit-elle répondre par Clac-Clac, tandis qu'il hochait la tête en roulant des yeux. C'est *toi* qui va aller dans la benne!

— Vraiment gentil, ton pantin! répliqua Lucie en jetant un regard noir à sa sœur.

Caro se mit à rire.

— Ne me regarde pas comme ça. Si tu n'es pas contente, c'est à lui qu'il faut t'en prendre.

Lucie fronça les sourcils.

— Tu es jalouse, reprit Caro. Parce que c'est moi qui l'ai trouvé et pas toi.

Lucie allait protester quand elles furent interrompues par des éclats de voix. Les deux enfants Mason, que les jumelles gardaient parfois le soir, se précipitaient vers elles.

— Qu'est-ce que c'est? demanda Anne Mason en montrant Clac-Clac du doigt.

— Est-ce qu'il parle? demanda le petit Benjamin en restant prudemment à distance.

— Bonjour! Je m'appelle Clac-Clac! lui fit crier Caro.

Elle assit le pantin sur son bras, les jambes pendantes.

— Où tu l'as eu? demanda Anne.

— Est-ce que ses yeux bougent? interrogea Benjamin toujours de loin.

— Et *les tiens*, ils bougent? rétorqua Clac-Clac.

Les deux petits se mirent à rirent. Benjamin oublia ses réticences et s'avança pour prendre la main de Clac-Clac.

— Ouille! Tu me serres trop! cria le pantin.

Benjamin lâcha la main en sursautant. Puis, avec sa sœur, il éclata de rire.

— *Ah! Ah! Ah! Ah!* Clac-Clac se mit à l'imiter, la tête renversée et la bouche largement ouverte.

Les enfants rirent de plus belle.

Toute contente de ces réactions, Caro jeta un coup d'œil à sa sœur. Assise au bord du trottoir, Lucie, la tête entre les mains, avait un air franchement dégoûté.

Elle est jalouse, se dit Caro. Elle voit que les enfants aiment vraiment Clac-Clac, et que du coup ils ne s'intéressent qu'à moi. Elle est verte de jalousie. Je le garde pour de bon, ce Clac-Clac! décida-t-elle, ravie de son triomphe.

Elle regarda les yeux peints de la poupée. À sa grande surprise, elle eut l'impression que le pantin lui rendait son regard et qu'il arborait un grand sourire complice.

— Qui a téléphoné? demanda M. Lafaye en enfournant une bouchée de spaghetti.

Caro reprit sa place à table.

— C'était Mme Mason, celle qui habite un peu plus bas dans la rue.

— Elle veut que tu gardes ses enfants? demanda Mme Lafaye.

— Non, répondit Caro. Elle veut que je vienne faire de l'animation. À la fête d'anniversaire d'Anne. Avec Clac-Clac.

— Ton premier travail, fit remarquer M. Lafaye en souriant.

— Anne et Benjamin adorent Clac-Clac, c'est eux qui on insisté. Mme Mason va me payer vingt dollars.

— C'est formidable! s'exclama sa mère en tendant le saladier à son mari.

Cela faisait une semaine que Caro avait repêché Clac-Clac dans la benne à ordures. Tous les jours, après l'école, elle passait des heures dans sa chambre à répéter, travaillant sa voix, s'entraînant à parler sans bouger les lèvres, inventant des sketches. Lucie ne cessait de dire que toute cette histoire était débile.

— Je ne peux pas croire que tu sois aussi nulle, répétait-elle en refusant d'assister aux spectacles de sa sœur.

Mais quand Caro apporta Clac-Clac à l'école le vendredi, Lucie changea d'attitude.

Un groupe d'enfants s'était rassemblé autour d'elle. Tandis que Caro faisait parler Clac-Clac, Lucie observa ce qui se passait, persuadée que sa sœur allait se ridiculiser. Mais à sa grande surprise, les enfants furent enthousiasmés. Ils trouvaient Clac-Clac très amusant. Même Kevin Martin, le garçon pour qui Lucie avait un faible, trouva Caro géniale.

En voyant Kevin et les autres rire comme des fous, Lucie se mit à réfléchir. Devenir ventriloque n'était pas une si mauvaise idée. Et c'est rentable, en plus. Non seulement on allait donner vingt dollars à Caro pour la fête d'Anne Mason, mais en plus on l'inviterait sûrement ailleurs et elle gagnerait davantage d'argent.

Ce soir-là, après le repas, les jumelles firent la vaisselle. Ensuite, Caro demanda à ses parents si elle pouvait leur montrer son nouveau numéro. Elle se dépêcha d'aller chercher Clac-Clac.

M. et Mme Lafaye s'installèrent sur le canapé dans le salon.

— Caro va peut-être devenir une vedette de télévision! dit Mme Lafaye.

— Peut-être, répondit M. Lafaye avec un grand sourire.

Bayou grimpa sur le canapé en aboyant et s'installa entre ses deux maîtres, sa queue battant furieusement la mesure.

— Tu sais très bien que tu n'as pas le droit de monter sur ce canapé, dit Mme Lafaye en soupirant, sans faire le moindre geste pour chasser le chien.

Lucie s'installa à l'écart, sur les marches de l'escalier, le menton sur les mains.

— Tu n'as pas l'air de bonne humeur ce soir, remarqua son père.

— Est-ce que je pourrais avoir un pantin, moi aussi? demanda-t-elle.

Elle n'avait pas vraiment prévu de poser cette question. Les mots étaient sortis tous seuls de sa bouche. Caro redescendit avec Clac-Clac dans les bras.

— Vous êtes prêts? dit-elle.

Elle posa une chaise au milieu du salon et s'assit dessus.

— Alors, c'est oui? insista Lucie.

— Tu en veux un, toi aussi? s'étonna Mme Lafaye.

— Quoi?

Caro ne comprenait pas.

— Lucie veut un pantin, elle aussi.

— Il n'en est pas question, répliqua Caro, furieuse. Pourquoi faut-il toujours que tu me copies?

— Ça a l'air amusant, répondit Lucie, les joues écarlates. Si tu peux le faire, moi aussi, ajouta-t-elle d'une voix aiguë.

— Tu es un vrai singe. Pour une fois, tu n'as qu'à avoir un passe-temps à *toi*. Pourquoi tu ne montes pas t'occuper de ta collection de bijoux fantaisie? Ça, c'est ton truc. La ventriloque, c'est *moi!*

— Allons, les filles, vous n'allez pas vous battre pour un pantin, dit Mme Lafaye d'une voix apaisante.

Lucie ne voulait pas en démordre.

— Je suis sûre que je me débrouillerais bien mieux qu'elle. Caro n'est vraiment pas très drôle.

— Ce n'est pas ce que les autres pensent, rétorqua Caro.

— Lucie, ce n'est pas très gentil, ce que tu viens de dire, fit remarquer Mme Lafaye d'un ton sec.

— D'accord, mais si Caro en a un, ce serait normal que j'en aie un aussi, répliqua Lucie.

— Copieuse! s'exclama sa sœur en secouant la tête. Toute la semaine, tu m'as traitée de nulle. Mais je sais très bien pourquoi tu as changé d'avis. Tu es furieuse parce que moi, je vais gagner de l'argent, et pas toi.

— J'aimerais bien que vous cessiez de vous disputer à *propos de tout*, dit M. Lafaye d'un air las.

— Alors, est-ce que je peux avoir un pantin? reprit Lucie.

M. Lafaye échangea un coup d'œil avec sa femme.

— Ça vaut cher! Un bon modèle doit coûter plus de cent dollars. Franchement, ce n'est pas du tout le moment de faire ce genre de dépense...

— Pourquoi est-ce que vous ne partageriez pas Clac-Clac? proposa Mme Lafaye.

Caro ouvrit la bouche pour protester.

— Vous partagez toujours tout, toutes le deux. Alors, pourquoi pas Clac-Clac?

— Mais, maman... commença Caro d'un air malheureux.

— Excellente idée, l'interrompit M. Lafaye en se tournant vers Lucie. Apprends à t'en servir. Vous allez le partager un petit moment et ensuite, une de vous deux cessera de s'y intéresser. Si ce n'est pas les deux...

Lucie se dirigea vers Caro et tendit la main pour prendre le pantin.

— Moi, ça ne me dérange pas de partager, dit-elle tranquillement en regardant sa sœur pour savoir si elle était d'accord. Est-ce que je peux le prendre juste une minute?

Caro resserra son étreinte sur Clac-Clac. Soudain, le pantin pencha la tête en arrière et ouvrit la bouche.

— *Va-t'en, Lucie!* aboya-t-il d'une voix rauque. *Dégage, minable!*

Et, avant que Lucie n'ait eu le temps de reculer, la main de bois de Clac-Clac se leva pour lui assener une bonne gifle.

— Aïe!

Lucie cria, puis recula, la joue en feu :

— Tu me le paieras, Caro! Tu m'as fait mal!

— Moi? Je n'ai rien fait! C'est Clac-Clac.

— Ce n'est plus drôle! Tu m'as fait vraiment mal! se plaignit Lucie en se frottant la joue.

— Mais ce n'est pas moi! répéta Caro en tournant la tête de Clac-Clac vers elle. Pourquoi as-tu été aussi méchant avec Lucie?

M. Lafaye se leva d'un bond.

— Arrête de jouer la comédie et excuse-toi auprès de ta sœur, ordonna-t-il.

Caro fit baisser la tête à Clac-Clac.

— Excuse-moi, fit-elle dire au pantin.

— Non, avec ta voix, insista M. Lafaye en croisant les bras d'un air décidé. Ce n'est pas Clac-Clac qui a fait mal à Lucie. C'est toi.

— D'accord, d'accord, marmonna Caro en rougissant, sans oser regarder sa sœur. Je m'excuse. Tiens! ajouta-t-elle en lui lançant Clac-Clac dans les bras.

Surprise par le poids du pantin, Lucie faillit l'échapper.

— Et maintenant, comment je fais?

Caro haussa les épaules et alla s'écrouler dans le canapé à côté de sa mère.

— Pourquoi est-ce que tu fais tant d'histoires? murmura Mme Lafaye en se penchant vers elle.

Caro rougit de nouveau.

— Clac-Clac est à moi! Pour une fois, je ne pourrais pas avoir quelque chose à moi toute seule? éclata-t-elle.

M. Lafaye s'assit sur l'accoudoir d'un fauteuil de l'autre côté de la pièce.

— Ah, les filles, parfois, vous êtes vraiment délicieuses et d'autres fois, tellement odieuses...

— Comment on fait bouger sa bouche? demanda Lucie en retournant le pantin pour examiner son dos.

— Il y a une ficelle derrière, dans la fente de sa veste, expliqua sa sœur à contrecœur. Tu n'as qu'à tirer.

Je ne veux pas que Lucie touche à Clac-Clac, pensait Caro avec colère. *Je ne veux pas partager. Pourquoi est-ce que je ne pourrais pas avoir quelque chose qui m'appartienne? Pourquoi est-ce qu'elle doit toujours me copier?*

Elle respira profondément pour faire passer sa colère.

Plus tard, dans la nuit, Lucie s'assit toute droite dans son lit. Elle venait d'avoir un cauchemar, elle en avait encore le cœur battant. Elle était poursuivie. Par quoi? Par qui? Impossible de s'en souvenir.

Elle regarda autour d'elle la pièce plongée dans l'obscurité, attendant que ses battements de cœur s'apaisent. L'air était étouffant dans la chambre, bien que la fenêtre fût ouverte.

Caro était profondément endormie dans le lit voisin. Elle ronflait doucement, les lèvres entrouvertes, ses cheveux cachant en partie son visage.

Lucie jeta un coup d'œil sur le radio-réveil posé sur la table de chevet entre les lits jumeaux. Il était près de trois heures du matin. Elle avait beau être parfaitement réveillée, le cauchemar ne se dissipait pas. La nuque brûlante, un malaise persistait, la frayeur l'envahissait, comme si elle était en danger.

Elle regonfla son oreiller et l'appuya contre la tête de lit. À ce moment-là, son attention fut attirée par quelque chose.

Quelqu'un était assis sur le fauteuil devant la fenêtre de la chambre. Quelqu'un la regardait.

Elle retint son souffle, puis elle réalisa que c'était Clac-Clac. Il baignait dans le clair de lune, ce qui faisait luire ses yeux. Il était assis, bizarrement penché vers la droite, un bras posé sur l'accoudoir. Il arborait un grand sourire moqueur et il avait l'air de la dévisager.

Lucie le dévisagea à son tour, observant l'expression du pantin. Puis, sans réfléchir, sans même s'en rendre compte, elle sortit silencieusement de son lit. Elle faillit s'étaler en se prenant le pied dans le drap. S'en débarrassant d'un mouvement impatient, elle traversa la chambre d'un pas résolu.

Clac-Clac avait les yeux levés vers elle. Son sourire parut s'élargir encore quand elle se pencha. Elle tendit la main pour toucher les cheveux de bois. La poupée avait la tête chaude, plus chaude qu'elle ne l'aurait cru…

Lucie retira sa main, comme si elle s'était brûlée. *C'était quoi, ce bruit?* Clac-Clac qui ricanait? Il se moquait d'elle?

Non. Bien sûr que non. Lucie s'aperçut qu'elle avait le souffle court. *Pourquoi est-ce que j'ai aussi peur d'un simple pantin?* pensa-t-elle.

Derrière elle, Caro grommela dans son sommeil et roula sur le dos.

Lucie regarda les gros yeux de Clac-Clac, qui brillaient dans la pénombre. Elle s'attendait à les voir cligner.

Brusquement, elle se sentit stupide. *Ce n'est qu'un pantin de bois*, se dit-elle en le repoussant du plat de la main. Le corps, tout raide, tomba sur le côté. La tête fit un petit bruit mat en heurtant l'accoudoir du fauteuil.

Lucie le regarda, étrangement satisfaite, comme si elle venait de lui infliger une bonne leçon. Prête à se rendormir, elle se dirigea vers son lit.

Elle n'avait pas fait un pas que Clac-Clac l'attrapa par le poignet.

— Oh! cria Lucie en sentant la main se refermer sur son poignet.

Caro, accroupie à côté d'elle, lui tenait solidement le bras.

D'un geste brusque, Lucie se dégagea. Dans le clair de lune, sa sœur avait un sourire diabolique.

— Je t'ai encore eue, ma pauvre!

— Tu ne m'as pas fait peur! balbutia Lucie d'une voix chevrotante.

— Tu parles, t'as fait un bond de trois mètres! Tu as vraiment cru que c'était le pantin!

— Pas du tout! s'exclama Lucie en se jetant sur son lit.

— Au fait, pourquoi étais-tu debout? Qu'est-ce que tu fabriquais avec Clac-Clac?

— J'ai fait un cauchemar. Je me suis levée pour regarder par la fenêtre. C'est tout... répondit Lucie.

Caro se mit à ricaner.

— Tu aurais dû voir la tête que tu faisais.

— J'ai sommeil. Fiche-moi la paix.

Lucie rabattit les couvertures par-dessus sa tête.

Caro remit le pantin en position assise. Puis elle retourna se coucher, riant encore de la peur qu'elle avait faite à sa sœur.

Lucie arrangea son oreiller tout en jetant un œil vers la fenêtre. La figure du pantin était à moitié dans l'ombre. Mais ses yeux brillaient. Et il la fixait comme s'il tentait de lui dire quelque chose.

Pourquoi a-t-il un sourire pareil? se demanda Lucie, agacée.

Elle remonta le drap et s'allongea sur le côté pour tourner le dos à ce regard fixe. Mais, même le dos tourné, elle se sentait observée. Même avec les yeux fermés et les couvertures remontées, elle voyait le sourire tordu et les yeux qui ne clignaient jamais. Qui la fixaient. Encore et encore.

Elle sombra dans un sommeil agité, entraînée dans un nouveau cauchemar. Quelqu'un la poursuivait. Quelqu'un de très dangereux. Mais qui?

Le lundi après-midi, les deux filles restèrent à l'école pour répéter le spectacle de la fête de fin d'année. Il était près de dix-sept heures quand elles rentrèrent, et elles furent très étonnées de voir la voiture de leur père garée devant la maison.

— Tu es rentré tôt! s'exclama Lucie en trouvant M. Lafaye dans la cuisine en train d'aider sa mère à préparer le souper.

— Demain, je pars à New York pour une réunion de représentants, expliqua M. Lafaye en épluchant un oignon au-dessus de l'évier. Alors, aujourd'hui, je n'ai travaillé qu'une demi-journée.

— Qu'est-ce qu'on mange?

— Des boulettes de viande, répondit Mme Lafaye, si ton père réussit à peler cet oignon…

— S'il y a un truc pour ne pas pleurer en pelant ces choses, j'aimerais bien le connaître, répliqua celui-ci, les yeux pleins de larmes.

— Comment s'est passée la répétition de la chorale? demanda Mme Lafaye en mélangeant la viande hachée avec ses mains.

Caro prit une canette de boisson gazeuse dans le réfrigérateur avant de répondre.

— C'était ennuyant!

— Oh oui! Toutes ces chansons traditionnelles, renchérit Lucie. Elles sont tellement tristes. Elles parlent toutes de moutons ou de trucs dans le genre...

M. Lafaye ouvrit le robinet à fond pour asperger d'eau fraîche ses yeux rougis.

— Je n'y arrive pas! gémit-il en lançant à sa femme l'oignon à moitié épluché.

— Pleurnichard! marmonna-t-elle, secouant la tête.

Lucie monta son sac à dos dans la chambre. Elle le posa sur le bureau qu'elle partageait avec Caro et s'apprêta à redescendre. Mais quelque chose près de la fenêtre attira son attention. Faisant brusquement demi-tour, elle retint son soufle. Un cri de surprise lui échappa.

Clac-Clac était assis dans le fauteuil devant la fenêtre, souriant comme toujours, le regard fixe. À côté de lui, il y avait un autre pantin, qui souriait également. Ils se tenaient par la main.

— Qu'est-ce que c'est que ça? cria Lucie.

— Il te plaît?

Lucie crut tout d'abord que c'était Clac-Clac qui lui parlait. Elle en resta bouche bée.

— Alors, qu'est-ce que tu en penses?

Lucie eut du mal à réaliser que la voix venait de derrière elle. Elle se retourna : son père était sur le seuil, occupé à se tamponner les yeux avec un torchon humide.

— L... le nouveau pantin? bégaya Lucie.

— C'est pour toi, dit M. Lafaye en pénétrant dans la chambre.

— C'est vrai?

Lucie se précipita pour regarder de près son pantin.

— En face de mon bureau, il y a une toute petite boutique. En passant devant, je l'ai vu dans la vitrine. Et pas cher, en plus, c'était donné! J'ai l'impression que le vendeur voulait s'en débarrasser.

— Il est... mignon, déclara Lucie en cherchant le mot exact. Il ressemble au pantin de Caro, sauf qu'il n'est pas brun, mais roux.

— Il vient probablement du même fabricant, dit M. Lafaye.

— Il est mieux habillé que Clac-Clac, s'exclama Lucie en le tenant à bout de bras pour mieux l'observer.

Le pantin portait un jean bleu et une chemise de flanelle rouge et verte. Et à la place des souliers bruns, il avait des souliers de course blancs.

— Alors, il te plaît? répéta M. Lafaye en souriant.

— Je l'adore! cria Lucie toute joyeuse en se jetant au cou de son père.

Elle prit le pantin dans ses bras et dévala l'escalier.

— Eh! Regardez! Je vous présente Monsieur Wood! cria-t-elle tout excitée, en le brandissant.

Bayou se mit à aboyer avec énergie, bondissant pour attraper les petits souliers de course. Mais Lucie ne le laissa pas faire.

— Eh! cria Caro, surprise. Où as-tu eu ça?

— C'est papa qui me l'a donné, répondit Lucie avec un sourire encore plus large que celui du pantin. Je vais commencer à m'entraîner après le souper, et je vais devenir bien meilleure que toi!

— Lucie! Ce n'est pas une compétition! la sermonna Mme Lafaye.

— De toute façon, j'ai déjà du travail grâce à Clac-Clac, dit Caro d'un air supérieur, tu commences juste. Débutante, va!

— Monsieur Wood est bien plus beau que ton Clac-Clac, répondit Lucie en imitant sa sœur. Monsieur Wood est à la mode. Ce n'est pas comme le costume gris de Clac-Clac, qui fait vraiment vieillot.

Caro fit une mine dégoûtée :

— Tu trouves que cette vieille chemise minable est branchée? Beurk! Ce vieux pantin a sûrement des vers!

— C'est toi qui as des vers!

— Ton pantin ne sera pas drôle du tout, déclara Caro, parce que tu n'as pas le moindre sens de l'humour.

— Ah! oui? répondit Lucie en jetant Monsieur Wood par-dessus son épaule. Il faut bien que j'aie le sens de l'humour pour arriver à te supporter, pas vrai?

— Copieuse! Tu n'es qu'une copieuse! cria Caro, jalouse.

— Sortez de la cuisine! s'exclama Mme Lafaye avec colère. Dehors! Vous êtes insupportables! Les pantins sont bien plus agréables que vous!

— Merci, maman! répondit Lucie ironiquement.

— Appelez-moi pour le souper. En attendant, je monte m'entraîner avec Clac-Clac pour la fête de samedi, dit Caro.

Le lendemain après-midi, Lucie était installée devant la coiffeuse qu'elle partageait avec sa sœur. Elle était en train de farfouiller dans la boîte à bijoux à la recherche d'un collier de perles de couleur. Elle passa le collier par-dessus sa tête, sans le mélanger aux trois autres qu'elle portait déjà. Puis elle se contempla dans le miroir, secouant la tête pour voir scintiller ses boucles d'oreilles pendantes.

J'adore ma collection de bijoux fantaisie, se dit-elle en plongeant la main dans le coffret pour voir quels trésors il recelait encore.

Lucie pouvait passer des heures à essayer des colliers de perles, à tripoter des douzaines de breloques, à enfiler des bracelets en plastique, à faire tinter les boucles d'oreilles. Sa collection de bijoux était toujours un réconfort pour elle.

Elle secoua encore la tête. Un coup frappé à la porte la fit se retourner.

— Alors, Lucie, comment ça va?

Son ami Charles Michaud entra dans la chambre. Il avait les cheveux blonds et raides, de grands yeux gris clair et un visage mince. On avait toujours l'impression que Charles était perdu dans ses pensées.

— Tu es venu à vélo? demanda Lucie en se dépêchant d'ôter plusieurs rangs de perles et en les jetant dans la boîte à bijoux.

— Non, à pied. Pourquoi tu m'as appelé? Tu voulais aller te promener?

Lucie se leva d'un bond et se dirigea vers le fauteuil près de la fenêtre.

— Non. Je veux m'entraîner, dit-elle en s'emparant de Monsieur Wood.

— C'est moi, le cobaye? grommela Charles.

— Non, le public. Viens!

Elle le conduisit sous le vieil érable dans le jardin.

Le soleil de l'après-midi commençait juste à décliner dans le ciel d'un bleu printanier.

Elle posa un pied contre le tronc de l'arbre et assit Monsieur Wood sur son genou. Charles s'étendit dans l'herbe.

— Tu vas me dire si c'est drôle, dit-elle.

— D'accord, vas-y, répondit Charles en plissant les yeux pour mieux se concentrer.

Lucie tourna son pantin vers elle.

— Comment ça va aujourd'hui?

— Très bien. Je touche du bois! fit-elle répondre au pantin.

Elle attendit que Charles se mette à rire, mais il ne se passa rien.

— C'était drôle, non?

— Bof! répondit-il sans enthousiasme. Continue.

— D'accord! Monsieur Wood, que faisiez-vous devant le miroir, les yeux fermés?

— Eh bien, répondit le pantin d'une voix aiguë, je voulais voir à quoi je ressemblais quand je dormais!

Lucie tira en arrière la tête du pantin comme s'il était en train de s'esclaffer.

— Qu'est-ce que tu penses de cette blague?

Charles haussa les épaules.

— C'est un peu mieux.

— Oh! Tu ne sers à rien! cria Lucie en colère. Tu es censé me dire si c'est drôle ou pas, ajouta-t-elle en baissant les bras.

— Il me semble que non, répondit pensivement Charles.

Lucie grommela.

— Il me faudrait quelques bons recueils de blagues. C'est tout. De bons recueils avec de bonnes blagues. Après, je serais prête à faire un spectacle. Parce que je suis douée comme ventriloque, non?

— Je suppose, répondit Charles en arrachant une poignée d'herbe et en laissant les brins retomber un à un.

— Regarde, je ne bouge pas beaucoup les lèvres?

— Pas trop, admit Charles. Mais on ne peut pas dire que tu saches vraiment placer ta voix.

Lucie essaya plusieurs autres blagues.

— Qu'est-ce que tu en penses? demanda-t-elle.

— Je dois rentrer maintenant, fit-il en lui lançant une poignée d'herbe.

Lucie caressa doucement les cheveux peints du pantin, faisant tomber les quelques brins d'herbe.

— Tu fais de la peine à Monsieur Wood, reprocha-t-elle à Charles qui se levait.

— Pourquoi perds-tu ton temps avec ce truc-là?

— Parce que c'est amusant.

— C'est la seule raison?

— Euh... Je voudrais prouver à Caro que je suis plus douée qu'elle.

— Vous deux, vous êtes vraiment *bizarres!* s'exclama Charles. Allez, je te vois demain à l'école!

Il lui fit un petit salut et retourna tranquillement chez lui, en bas de la rue.

Lucie se mit au lit et se blottit sous ses couvertures. Un clair de lune pâlot filtrait à travers les rideaux.

Bâillant à s'en décrocher la mâchoire, elle jeta un coup d'œil au radio-réveil. Elle entendait Caro se brosser les dents dans la salle de bains de l'autre côté du couloir.

Avant de s'endormir, elle regarda Monsieur Wood une dernière fois. Il était installé sur le fauteuil devant la fenêtre, les mains sagement posées sur les genoux, ses souliers de course blancs dépassant du bord du siège.

Il a l'air d'une vraie personne, se dit Lucie, tout engourdie de sommeil. *Demain, je vais chercher de bons livres de blagues à la bibliothèque de l'école. Je serai bien plus drôle que Caro. Je sais que j'en suis capable.*

Elle s'enfonça confortablement dans l'oreiller. *Je vais m'endormir aussitôt que l'on éteindra la lumière,* pensa-t-elle.

Caro entra quelques secondes plus tard, Clac-Clac sous le bras.

— Tu dors? demanda-t-elle.

— Presque, dit Lucie en bâillant bruyamment. J'ai révisé pour mon examen de maths toute la soirée. Où étais-tu?

— Chez Alice, répondit-elle en installant Clac-Clac sur le fauteuil à côté de Monsieur Wood. Il y avait des enfants là-bas et je leur ai montré mon spectacle. Ils ont tellement ri que j'ai cru qu'ils allaient s'étouffer... Quand Clac-Clac et moi, on a fait notre numéro de rap, Alice a craché son chocolat par le nez. Quelle rigolade!

— C'est bien, dit Lucie sans enthousiasme. Comme ça, Clac-Clac et toi, vous êtes prêts pour l'anniversaire d'Anne samedi.

— Ouais, répondit Caro.

Elle posa le bras de Clac-Clac sur les épaules de Monsieur Wood.

— Ils sont tellement mignons tous les deux.

Puis elle remarqua les vêtements soigneusement pliés sur le dossier de la chaise.

— Qu'est-ce que c'est que ça?

Lucie leva la tête pour voir de quoi sa sœur parlait.

— Ma tenue pour demain. Pendant le cours de Mme Baruch, on fait une fête d'adieu. Pour Margot. Tu sais, la stagiaire. On dort maintenant?

— D'accord.

Caro s'assit sur son lit et éteignit la lampe de chevet.

— Tu fais des progrès avec Monsieur Wood? demanda-t-elle en se glissant sous les couvertures.

Lucie se sentit piquée par la question. C'était un vrai coup bas.

— Ouais, je suis pas mal. J'ai montré des trucs à Charles. Il a tellement rigolé qu'il en a attrapé un point de côté. Je te jure. Il dit qu'avec Monsieur Wood, je devrais aller faire de la télé.

— Ah bon? répondit Caro, incrédule. C'est bizarre. Je n'aurais jamais pensé que Charles avait le sens de l'humour très développé. Il a l'air tellement sinistre. Je ne suis même pas sûre de l'avoir déjà vu rire.

— Pourtant, ça ne l'a pas empêché de rire en me regardant avec Monsieur Wood, insista Lucie, qui aurait aimé savoir mieux mentir.

— Génial! marmonna Caro. Je meurs d'impatience de voir ton spectacle.

Tout comme moi, pensa Lucie, renfrognée.

Quelques secondes plus tard, elles dormaient.

Leur mère les appela à sept heures le lendemain matin. La lumière orangée du soleil matinal envahissait la chambre. Dans le vieil érable, les oiseaux chantaient joyeusement.

— Debout là-dedans! Debout là-dedans!

Tous les matins, Mme Lafaye les réveillait de la même façon.

Lucie se frotta les yeux, puis s'étira de tout son long.

Elle parcourut la chambre du regard; soudain, elle sursauta.

— Eh... qu'est-ce qui se passe?

Elle attrapa Caro par l'épaule et la secoua sans ménagements.

— Qu'est-ce qui se passe?

— Hein?

Caro, surprise, s'assit dans son lit.

— C'est quoi cette blague? Où est-il? demanda Lucie.

— Hein?

Lucie montra le fauteuil, de l'autre côté de la chambre.

Assis tout droit, Clac-Clac leur souriait, baigné de soleil matinal.

Mais Monsieur Wood n'était plus là.

7

Caro cligna des yeux et se redressa.

— Qu'est-ce qu'il y a? Qu'est-ce qu'il y a de cassé? demanda-t-elle d'une voix enrouée de sommeil.

— Où est Monsieur Wood? Où l'as-tu mis? s'impatienta Lucie.

— Hein? Où je l'ai mis?

Caro aperçut Clac-Clac assis tout raide sur le fauteuil. Seul.

— Ce n'est vraiment pas drôle! dit Lucie en sortant de son lit. Tu n'en as jamais assez de faire des mauvaises blagues, Caro?

— Hein? Quelle blague?

Lucie se pencha pour regarder sous le fauteuil. Puis elle se mit à quatre pattes pour regarder sous les lits.

— Où est-il, Caro? demanda-t-elle avec colère. Ce n'est vraiment pas amusant...

— Je ne te dis pas le contraire... dit Caro en s'étirant.

Lucie se redressa et ses yeux s'élargirent en apercevant son pantin.

— Oh!

Caro suivit son regard. Monsieur Wood leur souriait depuis le seuil de la porte. Il paraissait tenir debout, les jambes bizarrement tordues. Il était habillé avec les vêtements chics de Lucie, la jupe de velours et le chemisier de soie.

Bouche bée, Lucie se précipita vers la porte. Elle s'aperçut tout de suite que le pantin ne tenait pas tout seul. On avait glissé la poignée de la porte dans la fente de son dos.

Elle l'attrapa par la taille.

— Ma chemise! Elle est toute froissée, regarde! cria-t-elle, les yeux plissés de fureur. C'est vraiment odieux de ta part, Caro.

— Moi? s'exclama celle-ci. Je te jure, Lucie que ce n'est pas moi. J'ai dormi comme une masse. Je n'ai pas bougé jusqu'à ce matin. Je t'assure!

Lucie la dévisagea longuement, puis regarda le pantin. Monsieur Wood, élégamment vêtu, lui souriait, comme s'il s'amusait d'elle.

— Voyons, Monsieur Wood, je suppose que tu t'es habillé et que tu as marché jusqu'à la porte par tes propres moyens?

Caro allait répondre, mais elle fut interrompue par la voix de leur mère qui criait d'en bas :

— Alors, les filles, vous n'allez pas en classe aujourd'hui? Vous êtes en retard!

— On arrive! répondit Lucie en jetant un regard mauvais à sa sœur.

Elle installa soigneusement Monsieur Wood sur le dos sur son lit et lui ôta la jupe et la chemise. Caro en profita pour occuper la première la salle de bains. En soupirant, Lucie regarda machinalement Monsieur Wood. Son grand sourire semblait méchant.

— Qu'est-ce que c'est que cette histoire? Ce n'est pas moi qui t'ai habillé et déplacé. Et Caro jure que ce n'est pas elle.

Si ce n'est pas nous, pensa-t-elle, *qui a fait cela?*

— Penche-lui la tête en avant, ordonna Caro. Voilà. Si tu le fais un peu sauter de bas en haut, on a l'impression qu'il est en train de rire.

Obéissant, Lucie fit sauter Monsieur Wood sur ses genoux.

— Ne fais pas tant bouger sa bouche, ajouta Caro.

— Vous êtes complètement folles toutes les deux, remarqua Alice, l'amie de Caro.

— Ça, ce n'est pas une primeur, dit Charles en riant.

Ils étaient tous les quatre à l'ombre du vieil érable dans le jardin des Lafaye. C'était samedi après-midi, il faisait chaud, le soleil brillait dans un ciel pâle. Bayou, dont la queue ne cessait de battre la mesure, quadrillait le terrain, nez au sol.

Lucie, assise sur une chaise pliante appuyée contre le tronc, avait installé Monsieur Wood sur ses genoux. Caro et Alice, les bras croisés, debout, regardaient son spectacle, les sourcils froncés, en pleine concentration. Charles, étendu sur le dos, les mains derrière la tête, mâchonnait un long brin d'herbe.

Lucie essayait de faire la démonstration de ses talents de ventriloque. Mais Caro l'interrompait sans arrêt pour lui donner des « conseils ». Et quand elle ne donnait pas de conseils, elle ne cessait de regarder sa montre avec nervosité. Elle ne voulait pas arriver en retard à la fête d'Anne.

— Tu es quand même bizarre, déclara Alice à Caro.

— Je m'en fiche, dit celle-ci. Je m'amuse bien avec Clac-Clac. En plus, je vais faire beaucoup d'argent. Et peut-être que je serai une vedette quand je serai plus grande, ajouta-t-elle en regardant de nouveau sa montre.

— En tout cas, à l'école, tout le monde pense que vous êtes bizarres, toutes les deux, insista Alice en chassant une mouche de sa main.

— Ils peuvent bien penser ce qu'ils veulent! répliqua Caro. Ils ne sont pas bizarres, eux, peut-être?

— Et toi aussi, fit dire Lucie à Monsieur Wood.

— On voit tes lèvres bouger, dit Caro.

Lucie leva les yeux au ciel.

— Tu ne pourrais pas me lâcher un peu? Depuis ce matin, tu es après moi!

— Je voulais juste t'aider. Ce n'est pas la peine d'être aussi agressive. Si tu veux faire des animations dans des fêtes, il va falloir que tu améliores ton numéro.

Lucie laissa la poupée s'effondrer sur ses genoux.

— Je n'arrive pas à trouver de bons recueils de blagues, dit-elle d'un ton dépité. Où as-tu trouvé les tiennes?

Caro eut une moue méprisante. Rejetant ses longs cheveux en arrière, elle laissa tomber :

— Je les invente moi-même.

— Tu es une blague à toi toute seule, se moqua Charles.

— Ha! Ha! Rappelle-moi de rire tout à l'heure, répondit Caro en lui faisant une grimace.

— Et toi, pourquoi tu n'as pas sorti ton pantin? demanda Alice. Tu ne veux pas t'entraîner avant la fête?

— Pas la peine, assura Caro. Je suis fin prête. II ne faut pas trop répéter, c'est mauvais.

Lucie ricana bruyamment.

— Il y a des parents qui vont rester pour nous regarder, Clac-Clac et moi, continua Caro, sans se laisser démonter par les sarcasmes de sa sœur. Si les enfants s'amusent, ils m'embaucheront peut-être pour animer leurs fêtes.

— Lucie et toi, vous devriez faire un numéro ensemble, suggéra Alice. Ce serait fantastique.

— Ouais! Comme ça, on aurait *quatre* pantins! s'exclama Charles.

Alice fut la seule à rire.

— Ça pourrait être pas mal, effectivement, dit Caro.

Puis elle ajouta :

— Dès que Lucie sera prête.

Lucie prit une profonde inspiration, prête à lancer une réplique cinglante. Mais avant qu'elle n'eût le temps de dire un mot, Caro lui prit Monsieur Wood des mains.

— Je vais te montrer quelques trucs, dit-elle en posant un pied sur la chaise pliante de Lucie et en installant Monsieur Wood sur son genou. D'abord, il faut que tu le tiennes plus droit, comme ça.

— Eh, rends-le-moi! cria Lucie en tendant la main.

Au moment où elle allait le toucher, Monsieur Wood tourna brusquement la tête pour la regarder dans les yeux.

— *Tu es nulle!* aboya-t-il au visage de Lucie d'une voix rauque.

— Hein? Lucie recula sous l'effet de la surprise.

— *Tu es complètement nulle!* répéta méchamment Monsieur Wood de la même voix cassée.

— Caro! Ça suffit!

Charles et Alice en étaient bouche bée de surprise.

— *Pauvre idiote! Va-t'en! Fiche le camp, sans-allure!*

— Ben dis donc! commenta Charles.

— Caro, ça suffit! hurla Lucie.

— Je n'y peux rien! répliqua celle-ci d'une voix tremblante.

Ses yeux étaient agrandis de frayeur.

— Je ne peux rien faire, Lucie! C'est... c'est lui qui parle!

Le pantin semblait fixer Lucie, avec un grand sourire méchant et laid.

— Je ne peux pas l'arrêter. Ce n'est pas moi! cria Caro.

Tirant de toutes ses forces, elle réussit à détourner Monsieur Wood de la figure de sa sœur.

Charles et Alice échangeaient des regards incrédules. Effrayée, Lucie se leva et vint s'adosser contre le tronc de l'arbre.

— C'est... c'est lui qui parle? demanda-t-elle d'une voix chevrotante sans quitter des yeux le pantin souriant.

— Je... je crois. Je... je ne sais plus très bien où j'en suis, répondit Caro, les joues écarlates.

Bayou aboyait en tournant autour des jambes de Caro pour attirer son attention. Mais celle-ci ne pouvait détacher les yeux du visage effrayé de sa sœur.

— C'est une blague, hein? s'enquit Charles d'un air inquiet.

— Qu'est-ce qui se passe? interrogea Alice, les bras toujours croisés.

Sans leur prêter attention, Caro tendit Monsieur Wood à sa sœur.

— Tiens, prends-le. C'est le tien. Après tout, toi, tu pourras peut-être le contrôler.

— Mais, Caro... protesta Lucie.

Caro regarda sa montre.

— Oh! Non! La fête! Je suis en retard!

Secouant la tête, elle se précipita vers la maison.

— À plus tard! cria-t-elle sans se retourner.

— Mais, Caro...

La porte de la cuisine claqua derrière elle.

Tenant Monsieur Wood par les épaules, Lucie baissa les yeux vers lui.

Encore une mauvaise blague de Caro, se dit-elle pour se rassurer...

Lucie se balançait tranquillement sur la vieille balançoire dont les chaînes rouillées grinçaient. Le soir descendait doucement. Une bonne odeur de poulet rôti s'échappait de la fenêtre de la cuisine où Mme Lafaye préparait le souper.

Bayou aboya en passant sous le portique. Lucie arrêta la balançoire craignant de le cogner au passage.

— Chien idiot! Tu ne sais pas que tu pourrais prendre un mauvais coup?

En relevant les yeux, elle vit Caro arriver en courant, Clac-Clac sous le bras. À son sourire, Lucie comprit tout de suite que la fête avait été un triomphe.

— Comment ça s'est passé? demanda-t-elle tout de même.

— C'était super! Clac-Clac et moi, on a été géniaux!

Lucie descendit de la balançoire et se força à sourire.

— C'est bien, dit-elle platement.

— Les enfants nous ont trouvés très rigolos. Pas vrai, Clac-Clac?

— Ils m'ont aimé, moi. Toi, ils t'ont détestée, déclara Clac-Clac avec la voix haut perchée de Caro.

Lucie eut un rire forcé.

— Je suis contente que ça se soit bien passé, articula-t-elle en essayant de se montrer de bonne foi.

— Clac-Clac et moi, on a commencé par un petit récital de chansons. Après, on a fait notre numéro de rap. Un tabac!

Elle en rajoute peut-être un peu! songea amèrement Lucie, qui se sentait folle de jalousie.

— Tous les petits ont voulu dire un mot à Clac-Clac. Pas vrai, Clac-Clac?

— Tout le monde m'aime. Où est ma part du butin? fit-elle dire au pantin.

— Alors, tu as eu vingt dollars? demanda Lucie en donnant un coup de pied dans une touffe d'herbe.

— Non, trente! La mère d'Anne m'a dit que je m'étais tellement bien débrouillée que ça méritait davantage. Et tu sais quoi? Tu connais Mme Evenny? Celle qui porte toujours un pantalon à imprimé léopard. Tu sais, la mère de Clara? Elle m'a demandé de venir à la fête de Clara dimanche prochain. Elle va me payer quarante dollars! Je vais être riche!

— Ouah! Quarante dollars! marmonna Lucie en secouant la tête.

— Ça fait trente pour moi et dix pour toi, fit Caro à Clac-Clac.

— Il faut que j'aille raconter ces bonnes nouvelles à maman! Et toi, qu'est-ce que tu as fait cet après-midi?

— Je suis allée au centre commercial avec maman.

Agitant frénétiquement la queue, Bayou marchait en passant entre leurs jambes, manquant de les faire trébucher.

— Bayou, dégage! cria Caro.

— Oh! J'ai presque oublié! dit Lucie en s'arrêtant sur le seuil. Il s'est passé quelque chose d'agréable.

Caro s'immobilisa, elle aussi.

— Quoi donc?

— Au centre commercial, on est tombées sur Mme Bernier.

Mme Bernier était leur professeure de musique.

— Quelle super nouvelle! commenta moqueusement Caro.

— Et Mme Bernier m'a demandé si, Monsieur Wood et moi, on ne pourrait pas présenter le spectacle de fin d'année, annonça Lucie en souriant.

Caro eut du mal à avaler sa salive

— Elle t'a demandé, *à toi*, de présenter le spectacle?

— Ouais. Il faut que je fasse un numéro avec Monsieur Wood devant tout le monde! s'écria joyeusement Lucie.

Elle vit que le visage de sa sœur se contractait de jalousie, ce qui la rendit encore plus heureuse.

Caro ouvrit la porte.

— Eh bien, bonne chance, dit-elle sèchement. Avec un pantin aussi bizarre que le tien, tu en auras *besoin*.

Pendant tout le souper, on ne parla que du succès de Caro à la fête d'Anne. Caro et sa mère discutaient avec animation, tandis que Lucie mangeait en silence.

— Au début, je reconnais que je trouvais toute cette histoire étrange, dit Mme Lafaye en servant de la glace à la vanille. Je ne comprenais pas pourquoi tu avais envie de jouer les ventriloques, Caro. Mais je suppose que tu as eu de l'intuition parce qu'on dirait que tu ne manques pas de talent.

Le visage de Caro rayonnait. En règle générale, Mme Lafaye était plutôt avare de compliments.

— J'ai trouvé un livre à la bibliothèque de l'école, expliqua Caro. C'était bourré d'idées. Et il y avait même tout un numéro à jouer. Mais moi, je préfère inventer mes propres blagues, ajouta-t-elle en jetant un coup d'œil à sa sœur.

— Tu devrais regarder le spectacle de ta sœur, conseilla Mme Lafaye à Lucie en lui tendant une coupe de crème glacée. Tu pourrais sûrement y glaner quelques bons trucs pour le spectacle de l'école.

— Peut-être, répondit Lucie en essayant de dissimuler son agacement.

M. Lafaye appela de New York après le souper. Caro lui raconta son beau succès de l'après-midi, Lucie l'histoire du spectacle avec Monsieur Wood. Son père promit de ne prendre aucun rendez-vous pour ce soir-là afin de pouvoir assister au spectacle.

Après avoir regardé un film, les jumelles montèrent dans leur chambre. II était un peu plus de onze heures.

Lucie appuya sur l'interrupteur. Elle regarda le fauteuil sur lequel elles posaient leurs marionnettes... et manqua de s'étouffer.

— Oh non! cria-t-elle.

Au début de la soirée, les marionnettes étaient assises côte à côte. Mais à présent, Clac-Clac avait la tête en bas et il était à moitié tombé du fauteuil. On avait ôté ses souliers bruns et les avait lancés contre le mur. La veste de son costume, arrachée, lui coinçait les mains derrière le dos.

— Re... regarde! dit Lucie à sa sœur en bégayant. Monsieur Wood... il est...

Elle s'arrêta net. Monsieur Wood était étendu de tout son long sur Clac-Clac et il avait les mains jointes autour de son cou, comme s'il voulait l'étrangler.

10

— C'est... c'est incroyable! réussit à murmurer Lucie.

Elle vit l'expression effrayée du visage de sa sœur.

— Qu'est-ce que c'est que cette histoire? cria Caro.

Lucie attrapa Monsieur Wood par sa chemise et le décolla de l'autre pantin. Elle eut l'impression de séparer deux gamins en train de se battre.

Elle le tint à bout de bras, l'examinant avec soin, le dévisageant comme si elle s'attendait presque à l'entendre parler. Puis elle le balança sur son lit, le nez dans les oreillers. Elle était blême de frayeur.

Caro se pencha pour ramasser les souliers bruns de Clac-Clac.

— Lucie, c'est toi qui as fait ça? demanda-t-elle doucement.

— Moi?

Lucie sursauta sous le coup de la surprise.

— Je sais bien que tu es jalouse de Clac-Clac et que... commença Caro.

— Attends une minute, se défendit Lucie d'une voix tremblante de colère. Ce n'est pas moi qui ai fait ça. Ne m'accuse pas!

Caro regarda sa sœur et soupira :

— Je ne comprends pas, vraiment pas. Regarde Clac-Clac. Il est tout cassé.

Elle posa les souliers sur une chaise et prit doucement le pantin dans ses bras, comme si c'était un bébé. Le tenant d'une main, de l'autre elle essaya de lui remettre sa veste.

Lucie entendit sa sœur marmonner quelque chose. Elle crut comprendre : « Ton pantin est méchant. »

— Qu'est-ce que tu as dit? demanda-t-elle.

— Rien, répliqua Caro, qui se débattait toujours avec la veste. Tou… toute cette histoire de pantin commence à me faire peur, avoua-t-elle sans oser croiser le regard de sa sœur.

— Moi aussi, reconnut Lucie. Il se passe des choses étranges. On devrait en parler à maman.

Caro boutonna la veste, puis elle s'assit sur son lit avec Clac-Clac sur les genoux pour lui remettre ses chaussures.

— Ouais, je suis d'accord. Ça fait vraiment peur.

Leur mère était dans son lit en train de lire un roman d'épouvante. La chambre était dans la pénombre, seules les pages du livre étaient éclairées par une petite lampe.

Mme Lafaye poussa un cri de surprise en voyant ses filles surgir de l'ombre.

— Oh, vous m'avez fait peur! C'est un livre très effrayant...

— On peut te parler? coupa Lucie avec empressement.

— Il se passe des choses étranges, ajouta Caro.

Mme Lafaye ferma son livre en bâillant.

— Quel est le problème?

— C'est à propos de Monsieur Wood. Il a fait des choses très bizarres, dit Lucie.

— Hein?

Mme Lafaye ouvrit les yeux comme des soucoupes. Elle paraissait pâle et fatiguée dans la lumière crue de sa lampe.

— Il était en train d'étrangler Clac-Clac, raconta Caro. Et cet après-midi, il a dit des choses vraiment grossières. Et...

— Assez! ordonna Mme Lafaye, en levant la main. Ça suffit!

— Mais, maman... commença Lucie.

— Fichez-moi la paix, les filles. J'en ai assez de vos histoires abracadabrantes!

— Maman, s'il te plaît!

— Maintenant, je veux que ça cesse, insista Mme Lafaye en jetant son livre sur la table de chevet. Je suis sérieuse. Je ne veux plus entendre un seul mot à propos de ces pantins. Si vous avez des problèmes, débrouillez-vous entre vous.

— Maman, écoute...

— Et si vous n'arrivez pas à vous débrouiller, je vais vous les confisquer. Tenez-le-vous pour dit!

Mme Lafaye éteignit sa lampe de chevet, plongeant la pièce dans l'obscurité.

— Bonne nuit! ajouta-t-elle.

Les filles furent forcées de quitter la chambre. Silencieusement, elles traversèrent le palier.

Lucie hésita au moment d'entrer dans leur chambre. Elle s'attendait à trouver Monsieur Wood encore en train d'étrangler Clac-Clac; elle poussa un soupir de soulagement en voyant que les deux pantins n'avaient pas bougé de leurs lits.

— Maman n'a pas été d'un grand secours, fit observer Caro en installant Clac-Clac sur le fauteuil près de la fenêtre.

— Je pense qu'elle était à moitié endormie et qu'on l'a réveillée...

Lucie prit Monsieur Wood et se dirigea vers le fauteuil. Puis elle s'arrêta.

— Tu sais quoi? Je crois que je vais le mettre dans le placard pour cette nuit, décida-t-elle brusquement.

— Bonne idée, approuva Caro en se mettant au lit.

Lucie jeta un coup d'œil au pantin, s'attendant presque à le voir réagir. Gémir. L'injurier. Mais Monsieur Wood lui souriait, et ses yeux peints étaient inexpressifs.

Lucie sentit un frisson la parcourir. *Je commence à avoir peur d'un simple pantin de ventriloque,* se dit-elle.

Elle ouvrit la porte du placard en grommelant pour poser le pantin sur l'étagère du haut. Elle la referma avec soin et alla se coucher.

Cette nuit-là, elle eut encore du mal à trouver le sommeil.

Le lendemain, à son réveil, elle se sentait épuisée comme si elle n'avait pas fermé l'œil de la nuit. Encore mal réveillée, elle regarda le fauteuil devant la fenêtre. Clac-Clac était assis là, exactement dans la position dans laquelle Caro l'avait mis. Et à côté, Monsieur Wood, un bras passé autour des épaules de Clac-Clac, souriait triomphalement en regardant Lucie, comme s'il venait de lui jouer un bon tour.

11

— Alors, Monsieur Wood, allez-vous à l'école?

— Bien sûr. Vous me prenez pour un pantin?

— Et quel est votre cours préféré?

— L'atelier de sculpture sur bois, évidemment!

— Qu'est-ce que vous y faites, Monsieur Wood?

— Je sculpte un pantin en forme de fille! Qu'est-ce que vous croyez? Ah! Ah! Que j'ai envie de passer le reste de ma vie sur *vos* genoux?

Lucie s'assit devant le miroir de la coiffeuse, Monsieur Wood sur les genoux. Elle voulait se regarder en train de répéter ses numéros pour le spectacle de l'école.

Monsieur Wood s'était bien conduit depuis deux jours. Aucun incident mystérieux ou effrayant. Lucie commençait à se rassurer. Peut-être que son imagination lui avait joué des tours? Peut-être qu'à présent tout allait bien se passer?

Elle se pencha vers le miroir pour observer sa bouche pendant qu'elle parlait avec la voix du pantin.

Il était impossible de prononcer les B et les M sans bouger les lèvres. Il fallait éviter ces lettres le plus possible.

Je m'améliore quand il s'agit de passer de ma voix à celle de Monsieur Wood, pensa-t-elle joyeusement. *Mais il faut que je change d'interlocuteur plus rapidement. Plus il y d'échanges entre lui et moi, plus c'est drôle.*

— Essayons encore une fois, Monsieur Wood, dit-elle en approchant la chaise du miroir.

— Le travail, toujours le travail! fit-elle grommeler au pantin.

Avant que Lucie n'eût le temps de reprendre sa répétition. Caro entra en trombe dans la chambre.

Dans le miroir, Lucie regarda sa sœur s'approcher d'elle, ses longs cheveux flottant sur ses épaules, un sourire triomphant aux lèvres.

— Tu sais quoi? dit-elle.

Lucie n'eut même pas le temps de répondre.

— Mme Burgess était à la fête d'Anne Mason. Elle travaille à la télé et elle trouve que je suis suffisamment bonne pour me présenter à *Stars en herbe*, l'émission qui a lieu toutes les semaines.

— Hein? C'est vrai? réussit à articuler Lucie.

Caro bondit d'un pied sur l'autre en criant :

— Clac-Clac et moi, on va passer à la télé! Est-ce que ce n'est pas GÉ-NIAL?

Contemplant sa sœur surexcitée, Lucie sentit une vague de jalousie la submerger.

— Il faut que j'aille raconter ça à maman! s'exclama Caro. Maman! Maman!

Lucie, hors d'elle, ne put retenir un cri de rage.

— Ooooooh! Pourquoi est-ce que toutes les bonnes choses lui arrivent à elle? Moi, je présente un spectacle minable devant une centaine de parents, et elle, elle va passer à la télé. Et pourtant, je me débrouille aussi bien qu'elle! Si ce n'est pas mieux!

De colère, elle leva Monsieur Wood au-dessus de sa tête et le jeta brutalement par terre. La tête du pantin cogna sur le parquet avec un bruit sourd. La grande bouche s'ouvrit comme pour laisser échapper un cri.

— Oh!

Lucie s'efforça de retrouver son calme. Le pantin, recroquevillé à ses pieds, semblait la fixer d'un air accusateur. Lucie le ramassa et le serra contre elle.

— Voilà, voilà, Monsieur Wood, murmura-t-elle doucement. Je t'ai fait mal? Oui? Excuse-moi. Je n'ai pas fait exprès.

Le pantin ne la quittait pas des yeux. Son sourire peint était toujours le même, mais son regard était glacé et impitoyable.

C'était une nuit calme. Pas un souffle de vent. Les rideaux tirés devant la fenêtre ouverte ne bougeaient pas. Un pâle clair de lune pénétrait dans la chambre des filles, créant des ombres violettes qui semblaient envahir la pièce.

Caro dormait mal, d'un sommeil léger rempli de rêves agités. Elle fut réveillée en sursaut par un bruit.

Un bruit sourd.

— Eh?

Elle leva la tête de son oreiller humide.

Quelqu'un bougeait dans l'obscurité. Elle avait entendu des pas.

— Eh! murmura-t-elle, bien réveillée à présent. Qui est là?

La silhouette se retourna sur le seuil, une ombre plus claire dans l'obscurité de la chambre.

— C'est moi.

— Lucie?

— Ben oui. Quelque chose m'a réveillée. J'ai la gorge sèche. Je descends à la cuisine chercher un verre d'eau.

Elle disparut dans les ténèbres. Caro l'écouta descendre l'escalier, puis, quand le bruit s'estompa, elle ferma les yeux et laissa retomber sa tête sur l'oreiller. Quelques secondes plus tard, elle entendit Lucie pousser un cri d'horreur.

Caro sortit du lit précipitamment. Les draps entortillés autour de ses jambes la firent trébucher.

Le cri à vous figer le sang de Lucie lui résonnait encore dans les oreilles. Pieds nus, elle dévala l'escalier obscur pour se retrouver devant la porte de la cuisine.

Une étrange lumière baignait la pièce : celle de la petite ampoule à l'intérieur du réfrigérateur, dont la porte était grande ouverte.

— Qu'est-ce qui se passe?

Elle avança d'un pas. Puis d'un autre. Son pied plongea dans quelque chose de froid et humide.

Caro sursauta et s'aperçut qu'elle marchait dans une grosse flaque de lait.

Elle leva les yeux vers Lucie, adossée contre le mur, les mains levées devant le visage comme pour se protéger de l'horreur.

— Lucie, mais enfin...

Elle s'arrêta net, découvrant l'ampleur du désastre.

Des fruits et des légumes jonchaient le sol. Il y avait des œufs cassés un peu partout. Pire encore, les boucles d'oreilles, les bracelets et les colliers de perles de Lucie étaient éparpillés, mélangés à la nourriture répandue, le tout ressemblait à une salade monstrueuse.

— Oh non!

Caro cria en voyant une silhouette par terre.

Assis au milieu du cataclysme, souriant gaiement, Monsieur Wood trônait. Il portait plusieurs colliers de perles autour du cou et une assiette de poulet froid était posée sur ses genoux.

13

— Lucie, *ça va?* cria Caro en détournant les yeux du pantin souriant, couvert de bijoux.

Lucie ne parut pas l'entendre.

— Ça va? répéta Caro.

— Qu'est-ce qui se passe? bégaya Lucie, affalée contre le mur, blême de terreur. *Qui* a fait ça? Est-ce que Monsieur Wood...

Caro allait répondre quand le cri de surprise de leur mère l'interrompit. Mme Lafaye alluma le plafonnier. Elles clignèrent des yeux toutes les trois, éblouies par cette lumière brutale.

— Nom d'un chien! s'exclama Mme Lafaye. Elle appela son mari, puis elle se souvint qu'il n'était pas là.

Bayou pénétra gaiement dans la pièce, la queue en métronome. Il baissa la tête et commença à croquer les coquilles d'œufs brisées.

— Fiche-moi le camp! cria sévèrement Mme Lafaye.

Elle attrapa le chien sous le bras, le mit dehors et referma la porte. Puis elle avança au milieu de la pièce, en hochant la tête, ses pieds nus ratant de peu la flaque de lait.

— Je suis descendue boire, et je... j'ai trouvé ce grand dégât, expliqua Lucie d'une voix tremblante. La nourriture, mes bijoux, tout ça...

— C'est Monsieur Wood le coupable, dit Caro d'une voix accusatrice. Regardez-le!

— Ça suffit! Ça suffit! J'en ai assez! hurla leur mère. Mme Lafaye évalua les dégâts, les sourcils froncés. Son regard se posa sur le pantin et elle fit un grognement dégoûté.

— Je le savais, je le savais que tout ça avait quelque chose à voir avec ces marionnettes de ventriloque, gronda-t-elle en regardant les deux filles d'un air accusateur.

— C'est Monsieur Wood, maman, dit Lucie avec conviction, les poings serrés. Je sais que ça a l'air idiot, mais...

— Arrête! ordonna Mme Lafaye. C'est assez! Je suis révoltée. Révoltée!

Elle fixa le pantin couvert de bijoux qui souriait au-dessus de son plat de poulet.

— Je vais vous confisquer vos marionnettes, déclara-t-elle. Toute cette histoire est en train de mal tourner.

— Mais... protesta Lucie.

— Ce n'est pas juste! s'exclama Caro.

— Désolée! C'est la seule solution, répliqua fermement Mme Lafaye. Elle parcourut du regard le sol jonché de débris et, furieuse, ajouta :

— Regardez l'état de la cuisine!

— Mais je n'ai rien fait! gémit Caro.

— Et moi, j'ai besoin de Monsieur Wood pour le spectacle de l'école, protesta Lucie. Tout le monde compte sur moi. Mme Bernier me fait confiance.

Mme Lafaye les regarda l'une après l'autre. Elle dévisagea Lucie.

— C'est ton pantin qui est par terre, non?

— Oui. Mais ce n'est pas moi qui ai fait cela, je te le jure!

— Vous jurez toutes les deux que vous n'êtes pas responsables de ce gâchis? demanda Mme Lafaye, qui parut soudain très fatiguée sous la lumière blanche du plafonnier.

— Oui, répondit hâtivement Caro.

— Donc, je vous confisque vos marionnettes à toutes les deux. Désolée! répliqua-t-elle. Je n'ai pas le choix : l'une de vous ment. Je trouve ça triste, mais c'est ainsi!

Un lourd silence s'abattit dans la pièce tandis qu'elles contemplaient les dégâts. Lucie fut la première à parler :

— Maman, et si Caro et moi, on nettoie tout?

Caro sauta sur l'idée et son visage s'éclaira.

— Oh oui! On va tout racheter avec notre argent de poche. Et on va tout nettoyer. S'il te plaît! Donne-nous encore une chance...

Indécise, Mme Lafaye eut une moue dubitative. Elle regarda le visage implorant de ses filles.

— Entendu, finit-elle par dire. Je veux que cette cuisine soit impeccable quand je redescendrai demain matin. Plus de nourriture, plus de bijoux. Que tout soit remis en place.

— D'accord, répondirent les filles en chœur.

— Et je ne veux plus voir aucune de ces marionnettes dans ma cuisine, prévint Mme Lafaye. Si vous arrivez à faire tout cela, je vous donne encore une chance.

— Génial!

— Et je ne veux plus entendre la moindre discussion à ce propos. Plus de dispute. Plus de rivalité. Arrêtez d'accuser ces poupées de toutes vos bêtises. Je ne veux plus en entendre parler. Plus jamais.

— Promis, dit Lucie en regardant sa sœur.

— Merci, maman, ajouta Caro. Retourne te coucher. On va tout arranger.

Elle poussa gentiment sa mère vers la porte.

— Je ne veux plus en entendre parler, répéta Mme Lafaye en disparaissant vers sa chambre.

Les jumelles commencèrent à nettoyer. Lucie sortit la vadrouille tandis que Caro remettait les légumes en place. Les filles ne disaient pas un mot. Elles travaillaient en silence, ramassant, frottant, essuyant, jusqu'à ce que la cuisine fût propre.

Finalement, Lucie examina le sol à quatre pattes, pour être sûre qu'il était impeccable. Puis elle ramassa Monsieur Wood. Il lui souriait largement, comme s'il était content de cette bonne blague.

Cette poupée n'a apporté que des ennuis, pensa-t-elle.

Que des ennuis.

Elles quittèrent la cuisine, éteignant derrière elles, puis montèrent l'escalier en bâillant.

Le clair de lune pâle filtrait toujours derrière les rideaux de leur chambre. Malgré la fenêtre ouverte, l'air était chaud et humide. Lucie jeta un coup d'œil au radio-réveil : il indiquait trois heures vingt.

Clac-Clac était écroulé sur le fauteuil devant la fenêtre et son visage souriait dans la pénombre.

Sans perdre un instant, Caro se mit au lit. Elle ôta la couverture, se blottit sous le drap, puis tourna le dos à sa sœur.

Lucie enleva Monsieur Wood de son épaule. *Tu n'apportes que des ennuis,* pensa-t-elle avec colère en le tenant à bout de bras. *Que des ennuis.*

Avec son sourire narquois, Monsieur Wood avait l'air de se moquer d'elle.

Je commence à le détester, pensa-t-elle. *J'ai peur de lui et je le déteste.*

Rageusement, elle ouvrit le placard, y jeta le pantin et claqua la porte.

Le cœur battant, elle se mit au lit. Elle se sentait très fatiguée, tout son corps était las et douloureux. Elle enfouit son visage dans l'oreiller et ferma les yeux. Elle venait juste de s'endormir quand elle entendit une toute petite voix :

— Laisse-moi sortir! Laisse-moi sortir d'ici!

Une voix étouffée qui venait de l'intérieur du placard.

— Laisse-moi sortir! Laisse-moi sortir! criait rageusement la voix haut perchée.

Lucie s'assit brusquement. Tout son corps se figea dans un accès de terreur. Elle scruta le lit à côté du sien. Caro n'avait pas bougé.

— Tu as entendu?

— Entendu quoi? demanda Caro d'une voix endormie.

— La voix, murmura Lucie. Dans le placard.

— Hein? De quoi tu parles? Il est trois heures du matin. On ne pourrait pas dormir un peu?

Lucie, le cœur battant, sortit du lit.

— Mais, Caro... Réveille-toi. Je te dis que Monsieur Wood m'a appelée. Il a *parlé!*

Caro leva la tête pour écouter. Silence.

— Je n'entends rien, Lucie. Rien du tout. Tu as peut-être rêvé.

— Non, cria celle-ci, sur le point de craquer. Je n'ai pas rêvé. J'ai peur, Caro. Tellement *peur!*

Brusquement, Lucie se mit à trembler de la tête aux pieds et des larmes brûlantes ruisselèrent sur ses joues.

Caro vint s'asseoir au bord du lit de sa sœur.

— Il... il... se passe quelque chose d'abominable Caro, bégaya Lucie en larmes.

— Et je sais qui en est responsable, murmura Caro en entourant d'un bras protecteur l'épaule frissonnante de sa sœur.

— Hein?

— Oui, je sais qui a fait tout cela, répéta Caro. Je sais très bien.

— Mais qui? demanda Lucie, le souffle coupé.

— Qui? répéta Lucie, les joues barbouillées de larmes. Qui est-ce?

— Moi, répondit Caro.

Elle eut un sourire presque aussi large que celui de Clac-Clac. Secouée de rire, elle ferma les yeux.

Lucie n'y comprenait rien.

— Hein? Qu'est-ce que tu as dit?

— Je dis que c'est moi qui ai fait tout cela, répéta Caro. Moi, Caro. C'était une blague, Lucie. Je t'ai encore fait marcher, ma vieille.

Elle hocha la tête comme pour confirmer ses paroles. Lucie, bouche bée, dévisageait sa sœur.

— C'était une blague?

Caro hocha de nouveau la tête.

— Tu as bougé Monsieur Wood pendant la nuit? Tu lui as mis mes vêtements et tu lui as fait dire ces horreurs? C'est toi qui l'as descendu dans la cuisine? C'est toi qui as fait ce gâchis épouvantable?

Caro se mit à rire.

— Ouais. Je t'ai vraiment fait peur, pas vrai?

Les poings de Lucie se serrèrent.

— Mais... mais..., balbutia-t-elle, *pourquoi?*

— Pour rigoler, expliqua Caro en se renversant sur son lit. Je voulais voir si j'arriverais à te faire peur. C'était juste une blague. Comment as-tu pu croire à cette voix dans le placard. Je dois être une excellente ventriloque!

— Mais... mais...

Caro éclata de rire à nouveau, enchantée de sa victoire.

— Tu as vraiment cru que Monsieur Wood était vivant! Tu es vraiment naïve!

— Naïve?

— C'est le moins qu'on puisse dire!

— Ce n'est pas drôle, dit doucement Lucie.

— Je sais, ricana Caro. C'est carrément désopilant! Tu aurais dû voir la tête que tu faisais quand tu as aperçu Monsieur Wood en bas au milieu de tes précieux bijoux!

— Mais... mais comment as-tu pu avoir l'*idée* d'une blague aussi méchante? demanda Lucie.

— C'est venu tout seul, répondit Caro d'un air fier. Quand tu as eu ton pantin. Pour une fois, je voulais un truc bien à moi. J'en ai vraiment assez que tu passes ton temps à me copier. Alors...

— Alors, tu as eu l'idée de cette sale blague.

Caro hocha la tête.

Énervée, Lucie quitta son lit et pressa son front brûlant contre la vitre.

— Je ne comprends pas comment j'ai pu être aussi bête, marmonna-t-elle.

— Ça, moi non plus, dit Caro avec un grand sourire.

— Tu avais vraiment réussi à me faire croire que Monsieur Wood était vivant, continua Lucie, les yeux dans le vide. Je commençais vraiment à avoir peur de lui!

— Hé, oui! Je suis super-douée! Tu ne le savais pas?

Lucie se tourna vers sa sœur.

— Je ne te parlerai plus jamais, déclara-t-elle, maîtrisant sa fureur.

Caro haussa les épaules.

— Ce n'était qu'une blague.

— Non, insista Lucie. C'était bien trop méchant pour une simple blague. Je ne te parlerai plus jamais. Jamais, tu m'entends?

— Comme tu veux, répliqua Caro sèchement. Je pensais que tu avais le sens de l'humour.

Elle se remit au lit en tournant le dos à sa sœur et rabattit le drap sur sa tête.

Il faut que je trouve un moyen de lui rendre la monnaie de sa pièce, pensa Lucie. *Mais comment?*

Quelques jours plus tard, par un après-midi chaud et humide, Lucie revenait de l'école avec Charles. Le soleil tapait fort. Les arbres étaient immobiles et semblaient offrir peu d'ombre.

— J'aimerais bien qu'on ait une piscine, grommela Lucie en ôtant son sac à dos de son épaule.

— Moi aussi, j'aimerais bien que tu en aies une, approuva Charles en s'essuyant le front avec la manche de sa chemise rouge. Comment ça va avec Monsieur Wood?

— Pas mal. Je pense que j'ai trouvé quelques bonnes blagues. Je serai tout à fait prête pour le spectacle demain soir.

— Tu parles de nouveau à ta sœur?

Lucie répondit en faisant la moue.

— Je lui parle, mais je ne lui ai pas pardonné.

— Il faut dire qu'elle t'a vraiment fait un sale coup!

— Je me suis bien fait avoir, ça, on peut le dire, reconnut Lucie. J'ai été vraiment idiote. Croire que c'était Monsieur Wood qui faisait tout ce bazar...

Lucie hocha la tête. Chaque fois qu'elle y repensait, elle se sentait troublée.

En arrivant devant chez elle, elle ouvrit la petite poche de son sac à dos pour y prendre ses clés.

— Est-ce que tu as dit à ta mère que Caro t'avait fait cette mauvaise blague? demanda Charles.

Lucie secoua la tête.

— Maman en a vraiment assez. Elle nous a interdit de parler des pantins devant elle. Papa est rentré de New York hier soir et maman lui a raconté tout ce qui s'était passé. Du coup, on n'a plus le droit de lui parler des marionnettes, à lui non plus! Merci de m'avoir raccompagnée jusqu'à la maison!

—Tout le plaisir est pour moi! répondit Charles en lui faisant un petit salut de la main.

Une fois entrée, Lucie se prépara une collation dans la cuisine avant de monter dans sa chambre s'entraîner avec Monsieur Wood.

Elle attrapa le pantin sur le fauteuil où il avait passé la journée en compagnie de Clac-Clac. Une canette de cola dans une main, le pantin sur l'épaule, elle se dirigea vers la coiffeuse et s'installa devant le miroir.

C'est le meilleur moment de la journée pour répéter, se dit-elle. *Personne à la maison. Les parents au travail, Caro à la piscine.*

Elle installa Monsieur Wood sur ses genoux.

— Il est temps de se mettre au boulot! lui fit-elle dire, en cherchant la ficelle dans son dos pour lui faire bouger les lèvres.

Un bouton de la chemise du pantin était défait. Lucie l'appuya contre la coiffeuse pour le lui remettre. Quelque chose de jaune attira son attention.

Bizarre, pensa Lucie. *Je n'avais jamais rien remarqué jusque-là.*

Glissant deux doigts dans la petite poche, elle en sortit une feuille bien pliée.

Ça doit être un reçu, supposa-t-elle.

Elle déplia le papier.

Ce n'était pas un reçu. Il n'y avait qu'une seule phrase écrite à la main, très clairement, à l'encre noire épaisse, dans une langue inconnue de Lucie.

— Est-ce que quelqu'un t'a envoyé un billet doux, Monsieur Wood?

Il la fixait de ses yeux sans vie. Lucie examina le papier et lut l'étrange phrase à voix haute :

— *Karru marri odonna loma molonu karrano.*

Qu'est-ce que cela veut dire? se demanda-t-elle. *Ça ne ressemble à aucune langue connue!*

Elle se tourna vers le pantin et poussa un petit cri de surprise. Monsieur Wood paraissait avoir bougé.

Mais c'était impossible... Lucie prit une profonde inspiration et expira lentement. Le pantin la regardait et ses yeux peints étaient aussi vides que d'habitude.

Ce n'est pas le moment de perdre les pédales, se reprit-elle.

— Au travail, Monsieur Wood!

Elle replia le morceau de papier et le remit dans la poche. Puis elle installa le pantin en position assise, cherchant du bout des doigts les commandes pour les yeux et la bouche.

— Comment ça va chez vous, Monsieur Wood?

— Pas très bien, Lucie. J'ai des termites. On peut dire que ça me ronge! Ah! Ah!

— Caro! Lucie! Descendez, s'il vous plaît! cria M. Lafaye au pied de l'escalier.

Le souper terminé, les filles étaient montées dans leur chambre. Caro, à plat ventre sur son lit, lisait un livre pour l'école. Lucie, assise devant la coiffeuse, répétait tranquillement avec Monsieur Wood son spectacle du lendemain.

— Qu'est-ce que tu veux, papa? cria Caro d'un ton agacé.

— Les Taillon sont là et ils meurent d'envie de voir vos numéros de ventriloque, répondit leur père.

Caro et Lucie grommelèrent. Les Taillon étaient des voisins, un couple âgé très gentil, mais très ennuyeux. Les jumelles entendirent leur père monter l'escalier. Quelques secondes plus tard, il passa la tête par l'entrebâillement de la porte.

— Allez, les filles! Juste un petit numéro. Ils sont venus prendre le café et on leur a parlé de vos marionnettes.

— Mais il faut que je répète pour demain soir, insista Lucie.

— Répète devant eux, proposa M. Lafaye. Juste cinq minutes. Ça va leur faire plaisir.

Soupirant bruyamment, les filles se levèrent. Jetant leurs marionnettes sur l'épaule, elles suivirent leur père au salon.

M. et Mme Taillon étaient assis côte à côte sur le canapé, leurs tasses à café posées devant eux sur la table basse. Souriants, ils accueillirent chaleureusement les filles.

Lucie était toujours frappée par la ressemblance entre les époux Taillon. Ils avaient tous les deux des visages minces et roses, couronnés par une masse de cheveux blancs. Ils portaient tous les deux des lunettes à double foyer cerclées de métal, qui glissaient le long de leurs nez pointus, presque identiques. Ils avaient le même sourire. M. Taillon avait une petite moustache grise. Caro disait toujours en riant qu'il se l'était laissé pousser pour qu'on ne le confonde pas avec sa femme.

Est-ce que c'est cela qui se passe quand on reste mariés très longtemps? se demanda Lucie. *Est-ce qu'on finit par se ressembler?*

Mme Lafaye se tourna vers ses filles et leur fit signe de s'approcher :

— Caro et Lucie s'entraînent à devenir ventriloques depuis quelques semaines. Et je trouve qu'elles sont douées toutes les deux.

M. Lafaye installa une chaise de la salle à manger au centre de la pièce.

— Allez, Caro, tu commences. Elles sont très bonnes, vous allez voir, ajouta-t-il en se tournant vers les Taillon.

Caro s'assit et installa Clac-Clac sur ses genoux. Les Taillon applaudirent.

— N'applaudissez pas, donnez de l'argent, dit Clac-Clac.

Tout le monde se mit à rire comme si c'était la meilleure blague du monde.

Lucie regarda sa sœur faire son numéro. Il fallait avouer qu'elle se débrouillait drôlement bien. Sans accroc. Les Taillon riaient tellement qu'ils en étaient tout rouges. De la même nuance de rouge.

Caro finit son numéro sous les applaudissements des invités enthousiastes. Elle leur parla de l'émission de télé où elle allait peut-être présenter un numéro et ils promirent de ne pas la rater.

— On va l'enregistrer, proposa M. Taillon.

Lucie la remplaça sur la chaise et installa Monsieur Wood sur ses genoux.

— Voici Monsieur Wood. Demain soir, c'est nous qui présentons le spectacle de fin d'année de l'école. Je vais donc vous offrir un aperçu du spectacle de demain.

— C'est une jolie poupée, remarqua gentiment Mme Taillon.

— *Toi aussi, t'es une jolie poupée!* rétorqua Monsieur Wood d'une voix rauque et grondante.

La mère de Lucie sursauta. Le sourire des Taillon s'effaça.

Monsieur Wood se pencha en avant pour regarder M. Taillon.

— *C'est ta moustache, ou bien t'es en train d'avaler un rat?* demanda-t-il méchamment.

M. Taillon jeta un coup d'œil gêné à sa femme, puis se força à rire. Elle fit de même.

— *Ne ris pas si fort. Tu inondes la pièce avec tes postillons. J'ai déjà pris une douche ce matin,* cria Monsieur Wood.

— Lucie! hurla Mme Lafaye. Ça suffit!

Les Taillon étaient rouge brique à présent et ils avaient l'air effaré. M. Lafaye traversa la pièce pour se planter devant Lucie.

— Ce n'est pas drôle. Fais des excuses à M. et Mme Taillon.

— Moi, je... je n'ai rien dit! bégaya Lucie.

— Lucie, excuse-toi! ordonna son père avec colère.

Monsieur Wood se tourna vers les Taillon.

— *Je suis désolé,* grommela-t-il. *Désolé que vous soyez aussi bêtes! On devrait vous mettre dans un aquarium, vous feriez deux belles écrevisses!*

Les Taillon se regardèrent, l'air malheureux.

— Je ne comprends pas son humour, dit Mme Taillon.

— Ce ne sont que des insultes grossières, répondit son époux.

— Lucie, qu'est-ce qui t'arrive? s'exclama Mme Lafaye en se levant. Excuse-toi auprès de nos invités immédiatement! Ton attitude est inqualifiable!

— Je... je...

Empoignant fermement Monsieur Wood par la taille, Lucie se leva.

— Je... je...

Elle essayait de formuler des excuses, mais pas un mot ne franchissait ses lèvres.

— Pardon! finit-elle par crier.

Puis, horriblement gênée, elle fit demi-tour et grimpa l'escalier quatre à quatre, les larmes ruisselant sur son visage.

17

— Tu dois me croire! cria Lucie d'une voix tremblante. Ce n'est pas moi qui ai dit toutes ces horreurs. Monsieur Wood parlait tout seul.

Caro leva les yeux au ciel.

— Cause toujours, tu m'intéresses! marmonna-t-elle.

Elle avait suivi sa sœur au premier. Au salon, leurs parents étaient encore en train de présenter leurs excuses aux Taillon. Lucie s'assit sur le bord de son lit et s'essuya les yeux.

— Je ne fais pas des plaisanteries aussi méchantes, moi, dit Lucie en jetant un coup d'œil à Monsieur Wood, posé en tas au centre de la chambre. Tu sais très bien que ça ne correspond pas du tout à mon sens de l'humour.

— Alors, pourquoi tu as dit des choses pareilles? Tu veux faire enrager tout le monde ou quoi?

— Mais je n'ai rien fait! cria Lucie, en se tortillant les mains. C'est Monsieur Wood qui a dit ces abominations! Ce n'est pas moi!

Brusquement elle regarda sa sœur d'un air suspicieux :

— À moins que... C'est encore un de tes tours!

— N'importe quoi! J'étais à l'autre bout du salon, se défendit Caro. J'ai déjà *fait* cette blague, comment peux-tu être aussi copieuse? Tu ne peux pas imaginer quelque chose d'original, pour une fois?

Lucie secoua la tête, visiblement désemparée.

— Caro, je t'en prie! implora-t-elle. J'ai peur! J'ai vraiment peur!

— Ouais. Sûrement! s'exclama sarcastiquement sa sœur. Moi aussi, j'en tremble de partout. Ouah! Tu voulais me montrer que toi aussi, tu sais jouer des mauvais tours, pas vrai?

— Arrête! hurla Lucie, tandis que ses yeux s'emplissaient à nouveau de larmes.

— C'est facile de pleurer! Mais moi, ça ne me trompe pas une minute! Et ça ne trompera pas papa et maman non plus.

Caro se tourna pour attraper Clac-Clac et le balança par-dessus son épaule. Enjambant Monsieur Wood, elle sortit de la chambre.

Dans les coulisses de la salle de spectacle, la chaleur était insupportable. Lucie avait la bouche sèche et elle ne cessait d'aller boire des gorgées d'eau tiède au robinet. Elle n'arrivait pas à effacer les affreux souvenirs de la veille. Ses parents l'avaient privée de sortie pour deux semaines. Ils avaient même failli lui interdire de participer au spectacle, mais, heureusement, il était trop tard pour changer le programme.

Heureusement? Lucie se le demandait sérieusement. Si seulement elle croyait vraiment que sa sœur était responsable de tout, mais elle n'arrivait pas à s'en convaincre. Pourvu que tout se passe bien! Pourvu que Monsieur Wood se tienne tranquille!

Les conversations des spectateurs résonnaient dans la salle qui se remplissait. Et plus le bruit s'intensifiait, plus Lucie se sentait nerveuse.

Comment vais-je pouvoir faire mon numéro devant toute cette foule? se demanda-t-elle en repoussant le rideau de quelques centimètres pour regarder le public. Ses parents étaient assis sur le côté, au troisième rang.

Lucie s'aperçut qu'elle avait les mains glacées. Et de nouveau, sa gorge était sèche. Elle se dépêcha d'aller boire une dernière gorgée d'eau, puis ramassa Monsieur Wood sur la table où elle l'avait laissé.

Brusquement, de l'autre côté du rideau, tout se calma. Le spectacle allait commencer.

— Bonne chance! lui cria Caro en courant pour rejoindre la chorale.

— Merci, répondit faiblement Lucie.

Elle redressa Monsieur Wood et lissa sa chemise du plat de la main.

— Tu as les mains moites! lui fit-elle articuler.

— Pas de grossièretés ce soir, dit Lucie sévèrement.

Le pantin cligna des yeux et Lucie sursauta.

— Eh! s'exclama-t-elle.

Elle n'avait pas touché à la manette qui les contrôlait. Elle fut envahie d'une terreur qui dépassait largement le trac. *Peut-être que je ne devrais pas continuer,* pensa-t-elle en regardant intensément Monsieur Wood, s'attendant à le voir à nouveau cligner des yeux. *Je devrais peut-être dire que je suis malade et que nous ne pouvons pas faire notre numéro?*

— Tu te sens nerveuse? murmura une voix.

— Hein?

Tout d'abord, elle crut que c'était Monsieur Wood. Mais elle comprit rapidement qu'il s'agissait de Mme Bernier, la prof de musique.

— Oui. Un peu, avoua-t-elle, écarlate.

— Tu vas t'en sortir comme un chef, chuchota Mme Bernier en serrant l'épaule de Lucie.

C'était une grosse dame, avec un triple menton, un rouge à lèvres agressif et des cheveux noirs flottant sur ses épaules. Elle était vêtue d'une longue robe ample, imprimée de fleurs bleues et rouges.

— Allons-y! C'est le moment, ajouta-t-elle en lui broyant encore une fois l'épaule.

Puis elle entra en scène, clignant des yeux dans la lumière crue des projecteurs, pour présenter Lucie et Monsieur Wood.

Est-ce que je vais m'en sortir? se demanda Lucie. *Est-ce que je vais pouvoir le faire?*

Son cœur battait tellement la chamade qu'elle n'entendit pas ce que disait Mme Bernier.

Soudain, la salle se mit à applaudir et elle se retrouva près du micro, tenant Monsieur Wood à deux mains.

Mme Bernier dont la robe à fleurs tournoyait se retira dans les coulisses. Elle sourit à Lucie en lui faisant un clin d'œil encourageant.

Aveuglée par les projecteurs, Lucie s'immobilisa. Elle se sentait la bouche pleine de coton. Allait-elle être capable d'articuler un son?

On lui avait installé une chaise pliante. Elle s'assit, posa Monsieur Wood sur ses genoux, puis s'aperçut que le micro était beaucoup trop haut.

Cela provoqua quelques rires discrets dans l'assistance.

Gênée, Lucie se leva et, tenant Monsieur Wood sous le bras, s'efforça de baisser le micro.

— Tu as des problèmes? s'inquiéta Mme Bernier en se précipitant pour l'aider.

Mais avant qu'elle ait traversé la moitié de la scène, Monsieur Wood se pencha vers le micro :

— *Il y a peut-être beaucoup de fleurs, mais ça ne sent pas vraiment la rose!* lança-t-il méchamment en fixant la robe de Mme Bernier.

— Quoi?

Surprise, la professeure de musique s'arrêta.

— *Votre tête me rappelle une verrue que je me suis fait enlever!* assena le pantin à la dame ébahie, dont la bouche s'ouvrit sous le coup.

— Lucie!

— *Si on compte le nombre de vos mentons, est-ce que ça nous donnera votre âge?*

Il y eut quelques rires dans la salle. Mais il y avait surtout des frémissements d'indignation.

— Lucie, ça suffit! cria Mme Bernier, dont la voix furieuse fut amplifiée par le micro.

— *Pour suffire, ça suffit largement!* déclara perfidement Monsieur Wood. *Si vous prenez encore quelques kilos, vous ne tiendrez plus dans aucun appartement!*

— Lucie, vraiment! Je te demande de bien vouloir t'excuser! s'écria Mme Bernier, le visage écarlate.

— Mais... madame, ce... ce n'est pas moi! bégaya Lucie. Ce n'est pas moi qui dis ces horreurs!

— Je te prie de t'excuser! Auprès de moi et du public! exigea Mme Bernier.

Le pantin se pencha sur le micro.

— *Des excuses pour ÇA!* hurla-t-il.

La tête du pantin se renversa en arrière. Il laissa tomber sa mâchoire et sa bouche s'ouvrit largement. Un liquide vert et épais s'en échappa.

— *Beurk!* cria quelqu'un.

On aurait dit de la soupe aux pois. Des cris de dégoût s'élevèrent quand le liquide verdâtre commença à s'étaler sur la chemise du pantin.

— C'est ignoble!

— Ça pue!

Lucie se figea d'horreur, pétrifiée devant la substance immonde qui s'échappait de la bouche ouverte de Monsieur Wood.

Une odeur infecte de mélange de lait caillé, d'œufs pourris, de caoutchouc brûlé et de viande avariée se répandait dans la salle. Aveuglée par les projecteurs, Lucie ne voyait pas le public devant elle. Mais elle entendait très bien les cris d'indignation et de colère. Brusquement, elle s'aperçut qu'on la poussait sans ménagements.

Qu'on la faisait sortir de scène. Hors de portée des projecteurs.

Elle se retrouva dans les coulisses avant d'avoir compris que c'était Mme Bernier.

— Lucie! J'ignore comment et pourquoi tu as fait une chose pareille, cria-t-elle, folle de rage, mais je veillerai à ce que tu sois suspendue de l'école! Et si cela ne tenait qu'à moi, glapit-elle, tu serais suspendue *à vie!*

M. Lafaye, les bras croisés, ne quittait pas Lucie des yeux. Elle venait de plier Monsieur Wood en deux, et elle le rangeait tout au fond de l'étagère, comme son père le lui avait ordonné. Puis elle referma le placard.

Assise sur son lit, Caro regardait la scène en silence, l'air troublé.

— Est-ce qu'on peut fermer ce placard à clé? demanda M. Lafaye.

— Non. Non, pas vraiment, répondit Lucie, la tête baissée.

— Tant pis, ça ira comme ça. Je vais le rapporter lundi à la boutique. En tout cas, je t'interdis d'y toucher d'ici là.

—Mais, papa...

Il leva la main pour lui imposer le silence.

— Il faut qu'on en discute, supplia Lucie. Tu dois m'écouter. Ce qui est arrivé ce soir... ce n'était pas une blague. Je...

Son père se détourna avec une expression très peinée.

— Lucie, je suis désolé. Nous parlerons demain. Ce soir, ta mère et moi, nous sommes trop fâchés et trop bouleversés pour discuter...

— Mais, papa...

Sans la regarder, il sortit de la chambre. Elle écouta ses pas pressés dans l'escalier. Puis elle se tourna lentement vers Caro.

— Alors, tu me crois maintenant?

— Je ne sais plus ce... ce qu'il faut croire, répliqua Caro. C'était tellement... incroyablement grossier! Et pourtant, ça ne peut être que toi!

— Caro, je... je...

— Papa a raison. On parlera demain, coupa sa sœur. On n'y verra plus clair demain quand tout sera plus calme.

Mais Lucie ne put trouver le sommeil. Elle se tournait dans tous les sens, troublée et complètement réveillée. Elle se cacha la tête sous l'oreiller pendant un long moment, appréciant le silence, puis, énervée, elle balança l'oreiller par terre.

Je n'arriverai plus jamais à dormir, se dit-elle. Chaque fois qu'elle fermait les yeux, elle revoyait l'abominable scène du spectacle. Elle entendait les cris scandalisés du public, ces gens qu'elle connaissait, ses copains et leurs parents. Et elle entendait aussi les cris devenir des hurlements de dégoût quand le liquide immonde s'était écoulé du pantin.

Dégoûtant. Tellement dégoûtant.

Et tout le monde pensait qu'elle était responsable. *Ma vie est finie,* pensa Lucie. *Je ne pourrai plus jamais revenir en arrière. Je ne retournerai pas à l'école. Je ne peux plus me montrer nulle part. Cet ignoble pantin a gâché ma vie.*

À ce moment, un frisson de terreur la parcourut de la tête aux pieds. Monsieur Wood... Elle seule savait qu'elle n'était pas responsable de ce qui était arrivé. Et personne n'aurait pu manipuler le pantin à distance pour le faire agir comme il l'avait fait. Non, personne. Le seul coupable possible, c'était...

Soudain Lucie perçut un bruit. Comme un crissement. Un pas léger.

Elle retint son souffle, l'oreille aux aguets.

Silence à présent. Un silence tellement lourd qu'elle entendait les battements de son propre cœur.

Puis un autre pas léger. Une ombre s'agrandit sur le mur. Ou était-ce seulement son imagination?

Non. Quelqu'un marchait vers la porte de la chambre. Très doucement, en silence.

Le cœur battant, Lucie se redressa en essayant de ne pas faire le moindre bruit. Elle retint sa respiration. L'ombre s'approchait doucement de la porte.

Lucie posa les pieds par terre, scrutant l'obscurité, sans quitter des yeux la silhouette silencieuse

Que se passait-il?

Elle perçut un frottement contre la porte, puis elle entendit la porte s'ouvrir.

Lucie se leva. Les jambes tremblantes, elle se lança à la poursuite de l'ombre.

Le palier. Il y faisait encore plus sombre parce qu'il n'y avait aucune fenêtre.

L'escalier. L'ombre accéléra l'allure.

Lucie suivit, pieds nus, sans faire de bruit sur le tapis mince.

Elle rattrapa l'ombre en haut de l'escalier.

— Eh! chuchota-t-elle.

Elle saisit la silhouette par l'épaule, la forçant à se retourner.

Et se trouva face à face avec la figure souriante de Monsieur Wood.

Monsieur Wood cligna des yeux, puis siffla un bruit hideux, menaçant. Dans l'obscurité de l'escalier, son sourire peint devenait une grimace horrible.

De terreur, Lucie écrasa l'épaule du pantin, entortillant ses doigts autour du tissu rugueux de la chemise.

— C'est... c'est impossible! murmura-t-elle.

Le pantin cligna de nouveau des yeux en ricanant. Il ouvrit la bouche et son sourire s'élargit encore.

Il essayait d'échapper à la prise de Lucie, mais elle tenait bon.

— Mais... tu es un pantin! dit-elle d'une voix étranglée.

Il ricana encore.

— Toi aussi! répliqua-t-il.

Il avait une voix grondante, comme un gros chien quand il montre les crocs.

— Tu ne peux pas marcher! s'écria Lucie. Tu ne peux pas être vivant!

Le pantin ordonna sèchement :

— La ferme! Laisse-moi partir, maintenant!

Lucie resserra ses doigts.

— Je suis en train de rêver, se dit-elle à voix haute. C'est évident, je suis en train de rêver.

— Je ne suis pas un rêve. Je suis un cauchemar! s'exclama le pantin en éclatant de rire.

Tenant toujours le pantin par la chemise, Lucie ne le quittait pas des yeux dans la pénombre du palier. Il faisait chaud. Elle avait du mal à respirer, elle suffoquait.

C'était quoi, ce bruit? Ce n'était que le halètement de sa propre respiration.

— Lâche-moi! répéta le pantin. Ou je te jette en bas de l'escalier!

Il tenta une fois de plus de s'échapper.

— Non! cria Lucie en raffermissant sa prise. Je... je vais te remettre dans le placard.

Le pantin se mit à rire, puis approcha son visage peint de celui de Lucie.

— Tu ne peux pas me garder là-dedans.

— Je vais t'y enfermer. Je vais t'enfermer dans une boîte. Dans quelque chose, en tout cas!

répliqua Lucie dont la panique l'empêchait de penser clairement.

Elle sentait l'obscurité l'envelopper, l'écrasant de tout son poids.

— Laisse-moi partir! reprit le pantin tentant de se dégager.

De l'autre main, Lucie lui entoura la taille.

— Laisse-moi partir, gronda-t-il de sa voix rauque et profonde. C'est moi le chef, à présent. Tu dois m'obéir!

Il se débattait de toutes ses forces. Lucie le repoussa et essaya de lui coincer les mains derrière le dos. Avec une force surprenante, il réussit à ramener en avant un de ses bras et lui décocha un bon coup de poing dans l'estomac.

— Oh! gémit-elle, le souffle coupé.

Le pantin profita aussitôt de cette faiblesse momentanée. Agrippant la rampe d'une main, il essaya d'enjamber Lucie, mais elle lui fit une jambette.

Encore haletante, elle le renversa sur le dos. Puis elle l'arracha à la rampe et le plaqua vigoureusement contre une marche.

— Oh!

Lucie cria quand le plafonnier du palier s'éclaira. Elle ferma les yeux, éblouie par la lumière brutale. Le pantin se débattait furieusement sous elle, mais elle pesait sur lui de tout son poids.

— Lucie! Mais… nom d'un chien…! s'exclama Caro en haut de l'escalier.

— Monsieur Wood! réussit à crier Lucie. Il est… vivant!

— Mais qu'est-ce que tu fabriques? Ça va?

— Non, ça ne va pas! Va chercher les parents! Monsieur Wood est vivant!

— Arrête! Ce n'est qu'un pantin! dit Caro en avançant à contrecœur vers sa sœur. Lève-toi, Lucie! Tu es devenue folle ou quoi?

— Écoute-moi! supplia Lucie désespérée. Va chercher les parents! Avant qu'il ne s'échappe!

Mais Caro ne fit pas un geste. Elle contemplait sa sœur, ses cheveux emmêlés, son visage figé par la terreur.

— Lève-toi, Lucie, je t'en prie. Lève-toi et viens te remettre au lit.

— Mais puisque je te dis qu'il est vivant! répéta Lucie. Crois-moi, je t'en supplie. Caro, je te le jure!

Le pantin gisait immobile sous elle, le visage enfoui dans le tapis, bras et jambes écartés.

— Tu as fait un cauchemar, reprit Caro en s'approchant lentement de l'escalier. Viens te coucher. Ce n'était qu'un cauchemar.

Le souffle court, Lucie se tourna pour regarder sa sœur. Attrapant la rampe d'une main, elle se releva à moitié.

Aussitôt, le pantin en profita pour agripper le rebord de la marche à deux mains. Il réussit à se dégager et dévala l'escalier.

— Non! Non! Ce n'est pas vrai! hurla Caro en voyant le pantin s'enfuir.

— Va chercher les parents! Dépêche-toi!

Caro restait figée, incapable du moindre mouvement.

Lucie plongea en avant, les bras tendus. Elle attrapa Monsieur Wood et lui entoura la taille. La tête de bois heurta rudement le sol quand ils roulèrent tous deux à terre.

Le pantin poussa un cri de douleur. Ses yeux se fermèrent, puis il ne bougea plus.

Perplexe, hors d'haleine, tremblant de tout son corps, Lucie se mit lentement debout. Vite, elle posa le pied sur le dos du pantin pour l'immobiliser.

— Maman! Papa! Où êtes-vous? hurla-t-elle. Dépêchez-vous!

Monsieur Wood releva la tête. En grognant, il commença à se débattre, raidissant ses membres.

Lucie l'écrasait de tout son poids.

— Laisse-moi partir! gronda-t-il rageusement.

Lucie entendit des voix à l'étage.

— Maman! Papa! Descendez! appela-t-elle.

Ses parents apparurent, l'air inquiet.

— Regardez! hurla Lucie en montrant frénétiquement le pantin écrasé sous son pied.

— Regarder quoi? s'exclama M. Lafaye en rajustant son haut de pyjama.

Lucie désigna le pantin :

— Il... il essaie de s'enfuir.

Mais Monsieur Wood gisait sur le ventre, immobile.

— C'est encore une plaisanterie? demanda Mme Lafaye, très en colère, les mains sur les hanches.

— Je ne vois pas ce qu'il y a de drôle, alors, ajouta M. Lafaye en secouant la tête.

— Monsieur Wood s'est enfui par l'escalier, dit Lucie, hagarde. Il est capable de tout. Il...

— Ce n'est pas drôle, répéta Mme Lafaye excédée. Pas drôle du tout, Lucie. Réveiller tout le monde au milieu de la nuit...

— J'ai l'impression que tu deviens folle, ma fille. Je suis très inquiet, ajouta M. Lafaye. Après ce qui s'est passé hier soir...

Lucie se pencha pour ramasser Monsieur Wood. Le tenant aux épaules, elle le secoua vigoureusement.

— Écoutez-moi! cria-t-elle. Il marche! Il court! Il parle! Il... il est *vivant!*

Elle cessa de secouer le pantin et le laissa retomber en tas sur le sol, inanimé.

— Je crois qu'il va falloir consulter d'urgence un médecin, dit M. Lafaye, l'air extrêmement préoccupé.

— Non! Moi aussi, je *l'ai vu!* intervint Caro, volant au secours de sa sœur. Lucie a raison! Le pantin a bien bougé. Puis elle ajouta : je veux dire, je crois qu'il a bougé!

Tu parles d'un soutien! se dit Lucie, vidée de toutes ses forces.

— Est-ce encore une blague idiote? demanda Mme Lafaye avec colère. Après ce qui s'est passé hier soir à l'école, il me semble que ça suffit!

— Mais, maman... commença Lucie en contemplant le petit tas à ses pieds.

— Au lit! coupa Mme Lafaye. Demain, il n'y a pas d'école. Nous aurons toute la journée pour décider de la punition que vous méritez toutes les deux.

— *Moi?* s'écria Caro, hors d'elle. Qu'est-ce que j'ai fait?

— Maman, on dit la vérité! insista Lucie.

— Je ne comprends toujours pas cette plaisanterie, dit M. Lafaye en hochant la tête. Pour qui nous prenez-vous?

— Au lit! Toutes les deux et tout de suite! ordonna leur mère. Et rangez-moi ce pantin immédiatement! Elle disparut avec son mari. Caro regarda d'un air désolé sa sœur ramener Monsieur Wood dans leur chambre.

— Tu me crois, toi? lui demanda Lucie en jetant le pantin sur son lit.

— Oui, oui, répliqua Caro en regardant le pantin, perplexe.

Lucie le regarda, elle aussi. Elle le vit cligner des yeux et se redresser lentement.

— Oh!

Elle poussa un cri de panique et l'attrapa au collet.

— Caro, dépêche-toi! Il recommence à bouger!

— Qu'est-ce que tu veux qu'on fasse?

— Je ne sais pas, répondit Lucie tandis que le pantin ruait des quatre membres sur le tapis, essayant de se libérer des deux mains qui lui serraient le cou. Il faut qu'on...

— Vous ne pouvez *rien faire*, trancha Monsieur Wood. Désormais, je suis le maître. Je suis de nouveau vivant! Vivant!

— Mais... pourquoi? l'interrogea Lucie qui n'en croyait pas ses yeux. Après tout, tu n'es qu'un pantin et...

Il renifla avec mépris.

— C'est *toi* qui m'as redonné la vie, déclara-t-il de sa voix rauque. Tu as lu la vieille formule.

La vieille formule? De quoi parlait-il donc?

Et soudain, Lucie se souvint. Elle avait lu les mots étranges qui étaient écrits sur le papier rangé dans la poche du pantin.

— Me voilà de retour parmi les vivants, merci! gronda celui-ci. Dorénavant, ta sœur et toi, vous serez mes servantes.

Tandis qu'elle contemplait, horrifiée, le pantin souriant, une idée germa dans l'esprit de Lucie.

Le papier. Elle l'avait remis dans la poche.

Si je lis la formule à l'envers, pensa-t-elle, *il se rendormira peut-être ?*

Elle attrapa Monsieur Wood à pleines mains. Il essaya de se dérober, mais elle fut plus rapide que lui et réussit à récupérer le papier jaune.

— Donne-moi ça! hurla-t-il.

Il bondit pour l'attraper, mais il était trop petit.

Elle le déplia rapidement, et lut à haute voix les mots étranges en commençant par la fin :

— *Karrano molonu loma odonna marri karru.*

Les deux sœurs observaient le pantin, s'attendant à le voir défaillir.

Mais il agrippa une chaise et rejeta la tête en arrière.

— C'est la formule du vieux sorcier pour me rendre la vie! proclama-t-il avec un rire méprisant. Même à l'envers, ce n'est pas ça qui me détruira!

Le détruire?

Oui, pensa Lucie déterminée. Elle jeta le papier avec dégoût. *On n'a pas le choix.*

— Il faut qu'on le détruise, Caro.

— Hein?

Caro avait l'air ébahie.

Lucie saisit le pantin sous les aisselles.

— Je vais le tenir et toi, tu lui arracheras la tête.

Caro dut reculer pour éviter les coups de pied de Monsieur Wood.

— Je ne le lâcherai pas, répéta Lucie. Prends-lui la tête et tire fort.

— Tu es... tu es sûre?

Caro hésitait, le visage crispé par la peur.

— Mais oui, *fais-le*, vas-y!

Caro lui attrapa la tête.

— *Laissez-moi partir!* cria le pantin.

— Tire! hurla Lucie à sa sœur terrifiée.

Caro serra la tête du pantin entre ses deux mains. Soufflant bruyamment, elle tira de toutes ses forces. La tête ne vint pas.

Monsieur Wood eut un petit rire haut perché.

— Arrêtez! Vous me chatouillez!

— Plus fort! ordonna Lucie.

Caro était écarlate. Elle resserra sa prise et tira de nouveau avec un regain d'énergie.

Le pantin ricana de façon désagréable.

— Ça ne veut pas venir! soupira-t-elle.

— Dévisse-la! suggéra Lucie.

Le pantin se débattait frénétiquement et il réussit à balancer un coup de pied dans l'estomac de Lucie. Mais elle tint bon.

— Vas-y! Dévisse-lui la tête! cria-t-elle.

Caro essaya.

Le pantin ricana de plus belle.

— Ça ne tourne pas!

Elle lâcha prise et recula d'un pas.

Monsieur Wood se redressa et fixa Caro.

— Tu ne peux pas me briser! Je suis indestructible!

— Qu'est-ce qu'on va faire? cria Caro en regardant sa sœur.

— Mettons-le dans le placard! Comme ça, on aura le temps de réfléchir, répondit Lucie.

— Vous n'avez pas besoin de réfléchir. Vous êtes mes esclaves, intervint le pantin. Vous ferez tout ce que je vous demande. Désormais, c'est moi qui commande...

— Pas question, marmonna Lucie en secouant la tête.

— Et si nous décidons de ne pas t'obéir? demanda Caro.

Le pantin lui lança un regard plein de colère.

— Alors, je commencerai à faire du mal à ceux que vous aimez, répliqua-t-il tranquillement. Vos parents. Vos amis. Ou peut-être ce chien immonde qui aboie toujours après moi.

Il rejeta la tête en arrière et un rire diabolique s'échappa de ses lèvres de bois.

— Vous ne pouvez pas vous débarrasser de moi, répéta-t-il. Ne me mettez pas en colère. Je suis trop puissant. Je vous préviens, je commence à en avoir assez de vos tentatives idiotes pour me faire du mal.

— Le placard ne ferme pas à clé, tu t'en souviens? cria Lucie en s'efforçant de maintenir le pantin qui se débattait toujours.

— Oh, attends! Qu'est-ce que tu dis de ça? fit Caro en sortant une vieille valise du placard.

— Parfait! approuva Lucie.

— Paire de crétines! les injuria Monsieur Wood. Vous commencez à être pénibles!

D'une secousse brutale, il se libéra de l'emprise de Lucie.

Elle se précipita pour le rattraper, mais il lui échappa.

Elle tomba sur le lit, tête la première.

Le pantin courut au milieu de la pièce, puis regarda vers la porte, comme s'il essayait de prendre une décision.

— Vous devez agir comme je vous l'ordonne, déclara-t-il sévèrement en levant sa main de bois vers Caro.

— Non! cria Lucie en se relevant.

Elles se précipitèrent ensemble sur le pantin. Caro lui attrapa les bras et Lucie plongea pour lui saisir les chevilles.

À elles deux, elles réussirent à le fourrer dans la valise ouverte.

— Vous allez le regretter, menaçait-il, en donnant des coups de pied. Ça va vous coûter cher! Quelqu'un devra payer pour ça!

Il continuait à crier même après que Lucie eut bouclé la valise et l'eut jetée au fond du placard. Elle referma brutalement la porte et s'y appuya, soupirant d'épuisement.

— Et maintenant, qu'est-ce qu'on fait? demanda Caro.

— On va l'enterrer, déclara Lucie.

— Hein?

Caro étouffa un bâillement.

Elles avaient l'impression de chuchoter depuis des heures. Tandis qu'elles essayaient de mettre un plan au point, elles entendaient les cris assourdis du pantin à l'intérieur du placard.

— On va l'enterrer. Sous ce gros tas de déchets, expliqua Lucie, en jetant un œil vers la fenêtre. Tu sais. À côté, près de la nouvelle maison.

— Oui. D'accord, approuva Caro. Je suis tellement crevée que je n'arrive plus à réfléchir.

Elle regarda le radio-réveil : presque trois heures et demie.

— Je pense toujours qu'on devrait réveiller les parents, ajouta-t-elle, les yeux écarquillés de frayeur.

— On ne peut pas. Ça fait cent fois qu'on ramène le sujet sur le tapis. Ils ne nous croiront pas. Si on les réveille, on aura encore plus d'ennuis...

— Impossible d'avoir *plus* d'ennuis que maintenant, marmonna Caro en hochant la tête en direction du placard d'où s'échappaient les grognements de colère de Monsieur Wood.

— Habille-toi, ordonna Lucie avec un regain d'énergie. On va l'enterrer. Après, on n'y pensera plus jamais.

Frissonnante, Caro regarda son pantin, affalé sur le fauteuil.

— Je ne peux plus voir Clac-Clac en peinture, maintenant. Je regrette tellement qu'on se soit intéressées à tout ça!

— *Chut!* Habille-toi!

Quelques minutes plus tard, les deux filles descendaient l'escalier dans l'obscurité, Lucie portait la valise avec ses deux bras en essayant d'étouffer les protestations indignées de Monsieur Wood.

Elles s'arrêtèrent en bas, immobiles, guettant le moindre bruit qui pourrait venir de la chambre de leurs parents. Silence.

Caro ouvrit la porte d'entrée et elles se glissèrent dehors.

L'air était frais et humide. La rosée, abondante, faisait briller la pelouse dans le clair de lune. Des brins d'herbe mouillés se collèrent à leurs semelles quand elles se dirigèrent vers le garage.

Tandis que Lucie se cramponnait à la valise, Caro, lentement, leva la porte coulissante à moitié.

Elle se glissa en dessous et ressortit quelques secondes plus tard, une grande pelle à neige à la main.

— Ça fera l'affaire, dit-elle en chuchotant, bien qu'elles fussent toutes seules.

Lucie jeta un coup d'œil dans la rue. La lumière des réverbères était voilée par l'humidité ambiante. Tout luisait sous le ciel d'encre. Elles franchirent les buissons bas qui les séparaient du terrain voisin.

Lucie posa la valise à côté du gros tas de déchets.

— On va creuser là, décida-t-elle. On le fourre là-dedans et après, on le recouvre.

— Je vous préviens, votre plan ne fonctionnera pas. Je suis quelqu'un de puissant! les menaça le pantin de l'intérieur de la valise.

— Creuse d'abord, dit Lucie sans faire attention aux menaces. Je continuerai.

Caro enfonça la pelle dans le tas. Lucie frissonna. Elle avait froid. Un nuage passa devant la lune, et le ciel s'obscurcit.

— Laissez-moi sortir! hurla Monsieur Wood. Si vous me délivrez maintenant, vous ne serez pas punies trop sévèrement!

— Creuse plus vite! chuchota impatiemment Lucie.

— Je fais ce que je peux! haleta Caro.

Elle avait déjà fait un bon trou carré à la base du monticule.

— Il faut creuser encore plus profond, tu crois?

— Oui, répondit Lucie. Surveille la valise. Je te remplace.

Quelque chose détala bruyamment près des buissons bas. Lucie leva les yeux et cria en voyant une ombre s'enfuir.

— Ce doit être un chat, murmura Caro en frissonnant. On enterre Monsieur Wood comme ça ou on le sort d'abord?

— Tu crois que maman s'apercevra de la disparition de la valise?

Caro secoua la tête.

— On ne s'en sert jamais.

— Alors, on l'enterre dedans, décida Lucie. Ce sera plus facile.

— Vous le regretterez! cria le pantin.

La valise bascula et dégringola au fond du trou.

— J'ai tellement sommeil, marmonna Caro.

Elle se débarrassa de ses chaussettes et se glissa sous les couvertures.

— Moi, je suis bien réveillée, constata Lucie, assise au bord de son lit. Je suppose que c'est parce que je suis heureuse. Heureuse d'être débarrassée de cette créature du diable.

— Tout ça est tellement bizarre, dit Caro en tapant son oreiller. Je n'en veux pas du tout aux parents de ne pas y avoir cru. Même moi, je ne suis pas sûre d'y croire.

— Tu as remis la pelle en place? demanda Lucie.

Caro hocha la tête.

— Oui, répondit-elle en bâillant.

— Et tu as fermé la porte du garage?

— *Chut!* Je dors. Au moins, on n'a pas d'école demain. On peut se lever tard.

— Oh! Moi, je n'ai vraiment pas sommeil, dit Lucie. Je me sens tellement vidée. C'était comme un cauchemar ignoble. Je me dis que... Caro? Caro, tu dors?

Pas de réponse. Sa sœur s'était endormie.

Lucie contempla le plafond. Transie par le froid humide de l'aube, elle tira les couvertures jusqu'à son menton.

Au bout d'un moment, malgré les événements de la nuit qui se bousculaient dans sa tête, elle finit par s'assoupir.

Ce fut un grondement de moteur qui la réveilla à huit heures et demie. En s'étirant et en se frottant les yeux, elle se dirigea d'un pas mal assuré vers la fenêtre.

Le ciel était gris. Deux énormes rouleaux compresseurs aplanissaient le terrain d'à côté, derrière la nouvelle maison.

Je me demande s'ils vont aplatir ce gros tas de déchets, pensa Lucie. *Pour nous, ce serait parfait!* Elle sourit. Elle n'avait pas dormi très longtemps, mais elle se sentait reposée.

Caro dormait encore à poings fermés. Après avoir enfilé sa robe de chambre, Lucie sortit de la chambre sur la pointe des pieds.

— Bonjour, maman! dit-elle gaiement en entrant dans la cuisine.

Mme Lafaye se retourna pour lui faire face. Lucie fut surprise par son expression fâchée. Elle suivit le regard de sa mère.

— Ce n'est pas vrai ! cria-t-elle.

Monsieur Wood était installé sur un tabouret, les mains sur les genoux. Ses cheveux, ses joues et son front étaient maculés de poussière rouge brique.

Horrifiée, Lucie enfouit son visage dans ses mains.

— Je croyais t'avoir dit de ne plus jamais descendre ce truc ici! gronda Mme Lafaye. Mais qu'est-ce qu'on va faire de toi, ma pauvre fille? ajouta-t-elle en se tournant avec fureur vers l'évier.

Le pantin fit un clin d'œil, accompagné d'un sourire démoniaque.

Tandis que Lucie contemplait, atterrée, le pantin souriant, M. Lafaye apparut dans l'encadrement de la porte.

— Tu es prête? demanda-t-il à sa femme.

Mme Lafaye suspendit le torchon et se tourna vers lui, tout en lissant une mèche de cheveux.

— Oui. Je vais chercher mon sac, dit-elle en sortant de la cuisine.

— Où est-ce que vous allez? cria Lucie, d'une voix paniquée, sans quitter des yeux le pantin sur le tabouret.

— On va faire quelques courses, répondit son père.

Il entra dans la pièce et regarda dehors.

— On dirait qu'il va pleuvoir.

— N'y allez pas! les supplia Lucie.

Il se tourna vers elle.

— Hein?

— Je vous en prie, n'y allez pas!

Le regard de son père s'arrêta sur le pantin.

— Eh, qu'est-ce qu'il fabrique ici? demanda-t-il avec colère.

— Je croyais que tu voulais le rapporter au magasin, dit Lucie.

— Pas avant lundi. Ils sont fermés pendant la fin de semaine.

Le pantin cligna des yeux, mais M. Lafaye ne remarqua rien.

— Vous devez vraiment sortir maintenant? demanda Lucie d'une toute petite voix.

Avant que son père ait le temps de répondre, Mme Lafaye apparut sur le seuil.

— Tiens, attrape ! dit-elle en lui lançant les clés de la voiture. Allons-y avant de se faire tremper!

M. Lafaye se dirigea vers la porte.

— Pourquoi ne veux-tu pas qu'on sorte?

— Le pantin... commença-t-elle.

Mais elle savait que c'était désespéré. Ils n'écouteraient pas. Ils ne la croiraient jamais.

— C'est pas grave, marmonna-t-elle.

Quelques secondes plus tard, elle entendit la voiture démarrer. Ils étaient partis.

Et elle était toute seule dans la cuisine avec ce pantin diabolique.

Monsieur Wood se tourna lentement vers elle en faisant pivoter le tabouret. L'air fâché, il ne la quittait pas des yeux.

— Je t'avais prévenue, gronda-t-il.

Bayou entra dans la cuisine, ses griffes crissant bruyamment sur le linoléum. Il avait le nez au sol, à la recherche des miettes qui auraient pu tomber pendant le déjeuner.

— Bayou, où étais-tu? demanda Lucie, contente d'avoir de la compagnie.

— Il était en haut, en train de me réveiller, répondit Caro en entrant à son tour dans la cuisine, les yeux rouges de sommeil.

Elle était vêtue d'un short de tennis et d'un chandail rose sans manches.

— Quel idiot, ce chien!

Bayou les ignora et vint flairer le sol sous le tabouret de Monsieur Wood.

C'est alors que Caro l'aperçut.

— Oh! non!

— Oh! si! railla le pantin. Je suis revenu! Et je suis très mécontent de votre conduite!

Caro se tourna vers Lucie, bouche bée de surprise et de terreur.

Lucie ne quittait pas le pantin des yeux. *Qu'est-ce qu'il a l'intention de faire?* se demandait-elle. *Comment est-ce que je peux le coincer?*

L'enterrer n'avait pas suffi. Il avait réussi à s'échapper de la valise et à refaire surface. Y avait-il un moyen d'en venir à bout?

Souriant plus que jamais, Monsieur Wood sauta à terre, ses semelles résonnant sur le plancher.

— Je suis très mécontent de vous! répéta-t-il de sa voix grondante.

— Qu'est-ce que tu vas faire? cria Caro, soudain très pâle.

— Je vais vous punir. Il faut bien que je vous prouve que je suis sérieux!

— Attends! cria Lucie.

Mais Monsieur Wood se déplaçait rapidement. Il se jeta sur Bayou et lui attrapa le cou à deux mains.

Le pantin resserra son étreinte, et le chien terrifié se mit à gémir de douleur.

— Je vous ai prévenues, gronda Monsieur Wood sans se soucier des cris du petit terrier. Vous m'obéissez ou l'un après l'autre, ceux que vous aimez vont souffrir!

— Non! s'exclama Lucie.

Bayou laissa échapper un couinement aigu, un cri de douleur qui la fit frissonner.

— Lâche Bayou! hurla-t-elle.

Le pantin ricana. Bayou hoqueta au bord de l'asphyxie.

Incapables d'en supporter davantage, les filles se jetèrent sur le pantin. Caro lui prit les jambes. Lucie saisit Bayou et tira de toutes ses forces.

Caro traîna le pantin par terre. Mais les mains de bois tenaient fermement le chien par le cou.

Les couinements de Bayou s'assourdissaient de plus en plus, au fur et à mesure que l'air lui manquait.

— Lâche-le! Lâche-le! hurla Lucie.

Elle encercla énergiquement les poignets du pantin; d'une traction brutale, elle écarta les deux mains de bois.

Bayou tomba par terre, la respiration sifflante. II détala vers un coin de la pièce, ses pattes dérapant sur le sol lisse.

— Tu vas me le payer! grommela le pantin.

S'arrachant à la prise de Lucie, il lui décocha un coup brutal en plein front. Elle cria de douleur et porta les mains à la tête.

Derrière elle, Bayou se remit à aboyer.

— Lâche-moi! exigea Monsieur Wood en se tournant vers Caro qui lui tenait toujours les jambes.

— Pas question! cria-t-elle. Lucie, reprends-lui les bras!

La tête bourdonnante, Lucie plongea pour attraper à nouveau le pantin.

Mais il baissa brusquement la tête et planta ses mâchoires de bois dans son poignet.

— Ouille!

Lucie recula en hurlant de douleur.

Tenant le pantin par les chevilles, Caro le laissa retomber lourdement sur le sol. Il fit entendre un grondement de fureur et tenta frénétiquement de s'échapper.

Lucie repartit à l'attaque et cette fois, elle réussit à attraper un bras, puis l'autre. Il baissa la tête pour la mordre encore une fois, mais elle l'esquiva et lui tira énergiquement les bras dans le dos.

— Qu'est-ce qu'on fait de lui? s'exclama Caro.

Lucie se souvint brusquement des deux rouleaux compresseurs en train d'aplanir le terrain d'à côté.

— Viens! On va l'écraser!

— Je vous préviens! Je suis quelqu'un de puissant! cria le pantin.

Sans lui prêter attention, Lucie ouvrit la porte de la cuisine et elles transportèrent dehors leur prisonnier gesticulant.

Le ciel était sombre et il tombait une petite pluie fine. L'herbe était humide.

Les filles virent les deux gros rouleaux compresseurs de l'autre côté des buissons bas : l'un était à l'arrière de la maison, l'autre sur le côté. On aurait dit deux énormes bêtes, écrasant tout sur leur passage.

— Par là? Dépêche-toi! ordonna Lucie en maintenant solidement Monsieur Wood. Jette-le là-dessous!

— Lâchez-moi! Lâchez-moi! cria le pantin.

Il tourna brusquement la tête pour essayer de mordre Lucie encore.

Le tonnerre se mit à gronder au loin.

Les filles couraient à toute vitesse vers le rouleau compresseur, dérapant sur l'herbe que la pluie rendait glissante.

Elles n'en étaient plus qu'à quelques mètres quand elles aperçurent Bayou. Il se précipitait vers elles.

— Oh non! Qu'est-ce qu'il vient faire là?

Sans les quitter des yeux, la langue pendante, courant dans l'herbe humide, le chien allait se jeter tout droit sous les chenilles du rouleau compresseur.

— Non, Bayou! cria Lucie. Non, Bayou, non!

Lâchant Monsieur Wood, les deux filles se jetèrent sur le chien. Bras tendus, elles glissèrent à plat ventre sur l'herbe humide.

Ravi de ce jeu de poursuite, Bayou fila.

— Eh! Ôtez-vous de là! Vous êtes folles ou quoi? cria le conducteur en colère, du haut de sa cabine.

Elles bondirent sur leurs pieds et se tournèrent vers Monsieur Wood. La pluie tombait maintenant à verse. Un éclair blanc zigzagua dans le ciel.

— Je suis libre! triompha le pantin, en levant victorieusement les bras. Maintenant, je vais me venger!

— Attrape-le! s'exclama Lucie.

Les deux filles baissèrent la tête et se lancèrent à la poursuite du pantin qui se mit, lui aussi, à courir.

Il ne vit pas le second rouleau compresseur.

L'énorme chenille noire lui roula directement dessus, le renversant sur le dos, puis l'écrasant avec un bruit sec.

Un sifflement bruyant s'échappa de sous la machine, comme l'air d'un ballon crevé.

Le rouleau sembla osciller d'avant en arrière. Un gaz vert s'échappa des restes du pantin et monta dans l'air, tel un champignon monstrueux.

Bayou cessa de folâtrer et resta pétrifié, les yeux fixés sur le nuage vert qui s'élevait dans le ciel presque noir.

Caro et Lucie regardaient la scène, bouche bée.

Poussé par le vent et la pluie, le nuage les enveloppa.

— Beurk! Ça pue! s'exclama Caro.

Ça sentait les œufs pourris.

Bayou gémit doucement.

Le rouleau compresseur s'immobilisa. Le conducteur sauta de la cabine et se précipita vers elles.

C'était un petit homme râblé aux gros bras musclés qui semblaient littéralement jaillir des manches de son tee-shirt.

— J'ai écrasé quelque chose? s'écria-t-il.

— Oui, mais ce n'est rien. Juste un vieux pantin, répondit Lucie.

L'homme poussa un soupir de soulagement. Puis il se pencha pour regarder sous sa roue. Les filles s'approchèrent pour voir les restes du pantin, le corps aplati dans son jean et sa chemise de flanelle. Le conducteur se redressa et s'essuya le front avec la manche de son tee-shirt.

— Eh bien, je suis navré, dit-il. Je n'ai pas pu m'arrêter à temps.

— Ce n'est pas grave du tout, répliqua Lucie en lui faisant un grand sourire.

— Oh, oui! Ce n'est vraiment pas grave! renchérit aussitôt Caro.

Bayou s'approcha pour flairer les restes du pantin.

— Au fait, ajouta le conducteur en changeant de ton, qu'est-ce que vous fabriquez sous la pluie, les filles? Caro haussa les épaules. Lucie hocha la tête.

— Nous? Oh, on promène le chien.

L'homme ramassa le pantin écrabouillé. La tête était littéralement pulvérisée.

— Vous le voulez quand même? demanda-t-il.

— Oh non! Vous pouvez le mettre à la poubelle, répliqua Lucie.

— Vous feriez bien d'aller vous mettre à l'abri, dit-il.

Les filles échangèrent un sourire de bonheur, soulagées.

Elles s'essuyèrent les pieds sur le paillasson, puis ouvrirent la porte de la cuisine. Bayou entra le premier.

— Ouah! Quelle matinée, s'exclama Caro.

Un éclair blanc zébra le ciel et le tonnerre éclata quelques secondes plus tard.

— Je suis trempée, dit Lucie tout sourire. Je monte me changer!

— Moi aussi.

Caro suivit sa sœur.

En entrant dans leur chambre, elles trouvèrent la fenêtre grande ouverte, les rideaux battant au vent, la pluie frappant le sol.

— *Oh zut!* s'exclama Lucie en se précipitant pour la refermer.

Quand elle se pencha pour saisir la poignée, Clac-Clac se redressa et l'attrapa par le bras.

— Eh, l'esclave! Est-ce que ce type est enfin parti? demanda le pantin d'une voix grondante. J'ai bien cru qu'il ne s'en irait jamais...

FIN